**TENDÊNCIAS DO INVESTIMENTO SOCIAL
PRIVADO NA AMÉRICA LATINA**

iDIS.
Instituto para o Desenvolvimento
do Investimento Social

Presidente do Conselho Deliberativo
Celso Varga

Diretor-Presidente
Marcos Kisil

CAF Charities Aid Foundation

Presidente do Conselho
Dominic Casserley

Diretor Executivo
John Low

GOVERNO DO ESTADO DE SÃO PAULO

Governador
Geraldo Alckmin

CASA CIVIL

Secretário-chefe
Sidney Beraldo

imprensaoficial

Diretor-Presidente
Marcos Antônio Monteiro

TENDÊNCIAS DO INVESTIMENTO SOCIAL PRIVADO NA AMÉRICA LATINA

Helena Monteiro
Marcos Kisil
Márcia Kalvon Woods

Instituto para o Desenvolvimento
do Investimento Social

O Idis é uma organização social de interesse público (Oscip), fundada em 1999, com o objetivo de promover o engajamento de pessoas, famílias, empresas e comunidades em ações sociais estratégicas transformadoras da realidade, contribuindo para a redução das desigualdades sociais no País. Para tanto, disponibiliza aos investidores sociais formas inovadoras e efetivas de investir recursos na área social. Sua missão é: "Promover e estruturar o investimento social privado como um instrumento do desenvolvimento de uma sociedade mais justa e sustentável".

Esta publicação foi produzida após a realização do evento Fórum de Lideranças – O Futuro do Investimento Social Privado na América Latina, realizado entre os dias 23 e 25 de setembro de 2007 em São Paulo, cujo objetivo foi propiciar um ambiente de reflexão para que, com base na troca de conhecimentos e experiências, fosse possível explorar os desafios e o papel do investimento social privado (pessoas, empresas e famílias) na América Latina para os próximos anos.

Para saber mais sobre o Idis, acesse: **www.idis.org.br**

CAF Charities Aid Foundation

O objetivo da CAF (Charities Aid Foundation) é simples: fazer com que as doações avancem. Nós facilitamos o processo para os doadores e para as organizações sociais gerenciarem os seus recursos. E como nós fazemos isso?

- Possibilitamos que os doadores doem a partir de benefícios fiscais para organizações em qualquer parte do mundo.
- Apoiamos os funcionários a desenhar e implementar programas de doação, voluntariado e comunitários.
- Distribuímos recursos para mais de 90 países e trabalhamos com organizações para melhorar a sua capacidade organizacional e ampliar o impacto do seu trabalho.
- Trabalhamos como uma Rede CAF Internacional com escritórios nos Estados Unidos, Austrália, Brasil, Índia, Rússia, África do Sul, Bulgária e Reino Unido.

O Idis é o responsável pela atuação da CAF na América Latina e faz parte de sua rede internacional. A parceria, firmada no final de 2005, é uma decisão que faz parte da nova estratégia global da CAF. Ambas as organizações comprometem-se a atuar conjuntamente na área de investimento social privado.

Para saber mais sobre a CAF, visite o site: **www.cafonline.org**

Agradecemos o apoio das empresas parceiras – Fundação Vale do Rio Doce, Fundação Banco do Brasil, Gerdau, Instituto Camargo Corrêa, Fundación Loma Negra, que, com seu apoio, viabilizaram a realização deste encontro. A colaboração de todos é fundamental para a difusão do investimento privado.

ÍNDICE

Prefácio.. 9

Apresentação 15

Perfil do Investidor Social na América Latina:
característícas regionais, influências globais............................. 19

Panoramas do investimento social privado..................................... 27

Contexto Global: um Cenário de Mudanças 29

Estados Unidos.. 31

Reino Unido e Europa 34

Austrália e Ásia... 38

Contexto Regional: avanços para a Transformação Social 43

México 45

Argentina 49

Brasil.. 51

O Investimento social na América Latina: olhando para o futuro 59

Oportunidades e desafios 61

A empresa e a família como investidores sociais:
características, desafios e seu relacionamento com a sociedade civil
e com o setor público... 67

Conclusão 73

Anexos... 75

Anexo A: Participantes do evento.. 77

Anexo B: Minibiografias dos palestrantes convidados
e dos autores 79

PREFÁCIO

Quando da realização do Seminário Internacional sobre Investimento Social na América Latina ainda não se tinha deflagrado a crise econômica e financeira que vem assolando todas as sociedades a partir de meados do último semestre de 2008. Assim, acredito que devemos neste prefácio dar atenção em analisar alguns dos possíveis efeitos da crise sobre a filantropia da região, e assim poder melhor contextualizar os resultados do seminário que aqui são apresentados.

Na última década, junto com a estabilização da economia em vários países da região, temos assistido a um movimento de crescimento e profissionalização do Terceiro Setor. Por exemplo, no caso brasileiro é inegável que as melhores condições econômicas encontradas na era pós--Plano Real possibilitaram que empresas e pessoas físicas começassem a investir mais recursos em projetos voltados para o bem-estar da sociedade, gerando um ciclo virtuoso de desenvolvimento. Por isso mesmo, neste momento em que o mercado financeiro atravessa uma crise mundial sem precedentes, é necessário entender de que maneira e com que intensidade a crise afeta o Terceiro Setor.

Não estamos falando de um setor marginal ou que tenha importância econômica reduzida. Estamos falando de um segmento que representa nada menos do que 5% do Produto Interno Bruto (PIB) do País[1] e é superior à in-

---

1. Estudo do Programa de Voluntários das Nações Unidas (UNV), 2006

dústria de extração mineral (petróleo, minério de ferro, gás natural, carvão, entre outros) e maior que a de 22 Estados brasileiros, ficando atrás apenas de São Paulo, Rio de Janeiro, Minas Gerais, Rio Grande do Sul e Paraná. Estima-se também que o Terceiro Setor empregue cerca de 1,5 milhão de assalariados ou 5,5% dos empregados de todas as organizações formalmente registradas no País[2].

A primeira pergunta que devemos fazer é sobre quanto esta crise afeta esse desenvolvimento, pois ela não terá o mesmo impacto em todo o mundo da filantropia por razões de caráter histórico e estrutural de cada país. Nos Estados Unidos, por exemplo, a maioria das doações está institucionalizada em fundações, que são organizações construídas sobre os alicerces de fundos patrimoniais, administradas de forma geralmente conservadora, em ativos de renda fixa, pois existe o compromisso da perpetuidade, mesmo assim, com a baixa das taxas de juros, o rendimento desses ativos caiu drasticamente. O histórico conhecido de como a filantropia americana reagiu a diferentes crises econômicas ajuda a acreditar que essa filantropia é relativamente estável.

Há, no entanto, organizações filantrópicas nos Estados Unidos que não estão protegidas, pois trabalham com investimentos mais agressivos. Algumas delas já tiveram perda substancial em seus fundos patrimoniais como comprova estudo recente da Foundation Center realizado com aproximadamente 1,2 mil fundações americanas[3]:

- Aproximadamente 2/3 dessas fundações reduziram o número de projetos apoiados e/ou o tamanho financeiro do apoio;
- Aproximadamente 40% das fundações acreditam que tenham que usar recursos de seus fundos patrimoniais para honrar os compromissos assumidos, comprometendo a capacidade de apoios futuros;
- Aproximadamente metade das fundações decidiu encontrar formas de atuação que não implica a doação de recursos.

Além das fundações, os novos filantropos também estão sofrendo os efeitos da crise. São executivos ou empreendedores bem-sucedidos que,

---

2. Fasfil – As Fundações Privadas e Associações sem Fins Lucrativos no Brasil – 2005

3. Foundations Address the Impact of the Economic Crisis April 2009. By Steven Lawrence, Senior Director of Research

em determinado momento, decidem aplicar em programas e projetos inovadores de organizações sociais nas quais ativamente se envolvem, mas que, por serem inovadoras, apresentam maior risco. Os novos filantropos resultaram do *boom* econômico de anos recentes, e que adotaram posturas mais agressivas de atuação com gastos diretos em programas e projetos, e não na criação de fundos patrimoniais. A quantia que aplicam pode variar dependendo da performance do próprio negócio que são proprietários. Ou seja, não há a consistência e o compromisso de perpetuidade como um fundo patrimonial. Assim, seus recursos minguaram com a crise e, consequentemente, as suas filantropias.

A escassez de recursos de fontes internacionais pode trazer impacto para as organizações brasileiras. Por exemplo, é bastante conhecida a redução da participação de fundações internacionais desde a elevação do Brasil à condição de emergente compondo o grupo conhecido como Bric (Brasil, Rússia, Índia e China). Com a atual crise podemos esperar que ocorra a redução de recursos provenientes de outras fontes. Este é o caso de recursos provenientes dos países europeus como Alemanha e Holanda, onde por várias décadas prevaleceu o chamado *Estado de Bem-Estar Social*. Nestes países, os impostos são altos e uma parte desta arrecadação é redistribuída aos países emergentes através de três canais: partidos políticos, centrais sindicais e igrejas, proporcionalmente à representatividade de cada um dentro da população de eleitores. Algumas dessas organizações enviam recursos para projetos sociais no exterior, incluindo o Brasil. Com a necessidade de ajudar o setor financeiro e especialmente para atender às crises de liquidez e de crédito, esses países devem utilizar internamente recursos que poderiam ser disponibilizados para ajudar as organizações estrangeiras. A esta situação deve ser somada a possibilidade de uma recessão mundial e a consequente redução de arrecadação de impostos, levando a uma redução dos recursos que poderiam ser doados internacionalmente.

No Brasil, como na maior parte da filantropia latino-americana, poucas organizações definiram de maneira estratégica a criação de um fundo patrimonial capaz de garantir a longevidade e consistência dos programas. A maior parte dos institutos ou fundações filantrópicas nasceu com base em recursos alocados anualmente pelo investidor social.

Uma característica importante do setor é que, segundo estudo do Ipea no Brasil, dois terços das organizações da sociedade civil dependem para sua sustentabilidade de recursos que são gerados da venda de produtos ou serviços. Isto significa que estas organizações fazem parte da economia e, portanto, são também passíveis de sofrer o impacto da recessão, além de receber menores doações de pessoas que terão de fazer novos cálculos em sua economia doméstica devido à inflação ou dificuldade de reter seus empregos por causa da recessão.

Outro aspecto que afeta as organizações da sociedade civil brasileira é a progressiva dependência de certas organizações de recursos doados, ou de convênios mantidos com o setor público, seja em nível federal, estadual ou municipal. Recursos estes que cresceram em importância durante o atual governo. Dependendo da intensidade com que a crise se manifesta existe uma possibilidade de escassear os recursos para que os mesmos sejam utilizados em programas de salvaguarda do sistema de crédito e de liquidez do sistema financeiro.

Nos países emergentes, como o Brasil e na América Latina em geral, boa parte dos recursos disponíveis para projetos sociais está vinculada ao conceito de responsabilidade social corporativa. As empresas fazem os seus orçamentos anuais e a verba para a filantropia é estipulada neste orçamento. Ou seja, empresas que tiveram grandes perdas com derivativos, com a desvalorização cambial ou que sejam afetadas em seu resultado operacional, obviamente reduzirão suas verbas para o social. O mesmo acontecerá se tivermos uma recessão. A consequência é que haverá menos recursos privados disponíveis para as ações sociais.

As empresas que utilizam os programas de ação social como uma medida improvisada de comunicação da marca são as primeiras a reduzir os investimentos nos programas ou a encerrá-los. A crise também está afetando a atitude das companhias com relação à responsabilidade social corporativa e sustentabilidade. Madeiras certificadas, por exemplo, estão perdendo mercado uma vez que os consumidores estão tomando a decisão, baseados no melhor preço, de utilizar a origem da madeira como critério de seleção. A redução do quadro de funcionários também está acontecendo sem que haja uma preocupação com o compromisso assumido em relação à política de responsabilidade social corporativa.

Devemos pensar então como essa possível redução geral de recursos afeta as organizações. Acredito que essa situação abrirá uma excepcional oportunidade para que as sociedades latino-americanas comecem a separar o joio do trigo da filantropia. Se haverá menos recurso, será necessária a busca por mais competência em termos de eficiência, eficácia e efetividade no uso dos recursos disponíveis. Atitude que deverá ser buscada tanto pelos grupos doadores ou investidores sociais quanto pelas organizações da sociedade que dependem destes recursos.

Dados divulgados no início de 2006 pelo The United Nations Volunteers (UNV), também em parceria com The Johns Hopkins Center for Civil Society Studies, revelaram crescimento de 71% do setor sem fins lucrativos no Brasil em sete anos (de 1995 a 2002), passando de 190 mil para 326 mil organizações. Não tenho dúvida de que agora muitas dessas organizações correm o risco de desaparecer. Isto pode provocar um processo de fusão ou de parceria entre organizações para que deixem de competir por recursos para atuarem de maneira sinérgica, buscando uma economia de escala para suas operações. Isto representaria uma maior preocupação com o planejamento programático e também financeiro, bem como com a gestão, especialmente no que se refere ao uso eficiente e eficaz dos recursos disponíveis, e uma preocupação crescente com o monitoramento e avaliação das ações executadas. Neste sentido, a atual crise pode ajudar as organizações a serem mais profissionais em suas decisões. Isto requer melhora da sua governança, de seus profissionais remunerados ou voluntários, de seus processos administrativos, e também de sua transparência em comunicar resultados aos diferentes grupos de interesse que são atingidos pela organização.

Mas não devemos esperar mudanças apenas nas ONGs. O doador, é claro, ficará mais seletivo e cobrará mais resultados. Com menos recursos, ele exigirá uma melhora qualitativa e maior impacto nos projetos que decida financiar. Neste sentido os investidores sociais devem buscar uma melhor definição de seu foco programático e de suas estratégias operacionais, evitando a dispersão de seus meios, o que reduziria significativamente o impacto que poderiam causar aos seus recursos.

A este esforço que deverá ocorrer no âmbito de cada organização deverá haver uma maior valorização da atuação em rede, em torno de uma causa, a fim de alavancar recursos de parceiros e atrair outros investidores para a causa. Movimentos como o Todos pela Educação, que reúne várias organizações para fortalecer uma única causa, ganharão importância, pois esse tipo de eficiência será cada vez mais valorizado.

Assim, para uma melhor definição de foco deve-se buscar um melhor entendimento do planejamento estratégico. Especialmente naquilo que se refere à definição do que representa estratégias de atuação. E essas estratégias devem resultar de estudos analíticos que definam as melhores formas possíveis de se alcançar objetivos e/ou metas específicas, aplicando da melhor forma os meios e recursos disponíveis, para se conseguir o máximo aproveitamento dentro do contexto no qual o investidor pretende atuar. Instrumentos de monitoramento, controle e avaliação devem ser funções gerenciais valorizadas. Devem garantir atividades e processos eficientes e eficazes na consecução dos objetivos da organização.

As organizações sociais e os investidores sociais que acreditam que esta crise é somente do setor financeiro e, portanto, não afetam seu dia a dia podem ser suas primeiras vítimas. As organizações que perceberem alguma anomalia podem utilizar este momento para uma reavaliação de seus processos e práticas. Talvez seja a oportunidade para a retomada de crescimento, ainda que em meio a uma crise.

Marcos Kisil

APRESENTAÇÃO

O **Fórum de Lideranças: O Futuro do Investimento Social Privado na América Latina** aconteceu em São Paulo, de 23 a 25 de setembro de 2007. O evento foi uma iniciativa do Idis e da Charities Aid Foundation – CAF e teve como correalizadores, o Cemefi – Centro Mexicano para la Filantropía, Gife – Grupo de Institutos, Fundações e Empresas, do Brasil, e GDFE – Grupo de Fundaciones y Empresas, da Argentina.

O conceito utilizado durante o fórum foi o mesmo adotado pelo Idis:

O Investimento Social Privado é a alocação voluntária e estratégica de recursos privados – sejam eles financeiros, em espécie, humanos, técnicos ou gerenciais – para o benefício público.

Incluem-se neste universo as ações sociais protagonizadas por empresas, fundações e institutos de origem empresarial ou instituídos por famílias ou indivíduos. Para causar impacto e promover a transformação social, esse investimento depende de pesquisa focada, planejamento criativo, estratégias predefinidas, execução cuidadosa e monitoramento dos seus resultados.

O Fórum de Líderes ofereceu uma dinâmica plataforma para o debate e a troca de ideias e experiências. Contou com a participação de líderes de mais de 12 países da América Latina, Europa, Austrália e Estados Unidos, com vasta experiência e conhecimento em investimento social privado, que ofereceram uma rica e valiosa contribuição às discussões sobre o contexto global e regional do investimento social privado. Este documento representa um esforço de trazer ao público a riqueza do debate.

INTRODUÇÃO

PERFIL DO INVESTIDOR SOCIAL NA AMÉRICA LATINA: CARACTERÍSTICAS REGIONAIS, INFLUÊNCIAS GLOBAIS

A experiência do Idis pode contribuir para o debate sobre o tema do investimento social privado. Desde sua fundação, em 1999, mais de 100 clientes do Brasil e da América Latina foram orientados por nosso instituto. Calculamos que esses investidores sociais estejam doando atualmente em torno de R$ 500 milhões por ano.

Apesar destes mais de dez anos de experiência acumulada, o investimento social continua sendo grande novidade na América Latina. O que vemos ainda são ações caritativas e assistencialistas que tentam corrigir os efeitos e não as causas dos problemas sociais. Em nossa experiência, ao contemplar o panorama do investimento social, detectamos alguns desafios importantes para o futuro do setor:

1. Falta de transparência, monitoramento e avaliação de resultados do investimento: muitos doadores desconhecem o destino de sua doação e os resultados pretendidos. Mesmo quando doadores empresariais ou familiares criam uma organização ou estrutura para suas doações, é comum não agirem com o profissionalismo necessário. Muitos doadores não têm ideia do impacto que poderiam criar com seus investimentos;

2. Falta de tradição familiar: muitas famílias não consideram a filantropia como legado ou herança a ser passada às futuras gerações. Assim, boas ações de uma geração no presente são perdidas na seguinte;

3. Desconhecimento dos líderes comunitários sobre o potencial da filantropia local: não sabem como flui o processo de dar e receber na própria comunidade;

4. Falta de foco: o doador não tem claro o foco de seu investimento e faz doações pulverizadas, esparsas, sem controle;

5. Falta de compromisso com a transformação da realidade: doações ocorrem como um mero processo contábil-financeiro. A relação do doador com a organização/comunidade acaba no momento da transferência do recurso.

Os dados colhidos sobre o filantropo/investidor social que atua em sua comunidade revelam uma série de informações ainda pouco conhecidas na sociedade latino-americana. Sociedade esta que tem uma longa história filantrópica, porém pouco conhecida em seus propósitos e práticas. Neste sentido, ainda é necessário recorrer a informações e conhecimentos gerados fora da região para caracterizar os nossos doadores.

Assim, encontramos uma interessante tipologia, elaborada por Prince e File para a sociedade americana, para caracterizar os diferentes doadores. Trata-se das *Sete Faces da Filantropia*[4], forma estereotipada de classificar o comportamento dos doadores em: o devoto, o comunitário, o retribuidor, o herdeiro, o socialite, o altruísta e o investidor social. Na experiência do Idis, tais doadores são facilmente encontrados em todas as sociedades da América Latina, ainda que esses modelos de filantropos sirvam para descrever a realidade norte-americana.

O primeiro arquétipo é o devoto, notadamente por sua frequência numa comunidade. Ele representa aqueles que valorizam a influência religiosa em suas vidas. A fé o leva a distribuir os bens que possui. Assume a natureza caritativa de suas doações e faz filantropia por meio de instituições religiosas. Entende a doação como *dízimo* que deve ser pago de maneira regular. Normalmente participa da vida da sua paróquia, mas não se preocupa necessariamente com o destino dos recursos. Este modelo, que se iniciou no período colonial e se estende até os dias de hoje, deu origem às entidades caritativas nos campos da saúde (Santas Casas), educação (escolas primá-

---

4. PRINCE, Russ Alan & FILE, Karen Maru. *The seven faces of philanthropy: a new approach to cultivating major donors.*

rias e secundárias) e ações de promoção social (asilos, albergues, creches). Recentemente, tornou-se importante instrumento de novas denominações pentecostais para construir suas estruturas de mídia e assim atuar junto à sociedade.

O segundo arquétipo é o comunitário. Nesse modelo o doador acredita que seu papel é importante para a melhoria de sua comunidade. Busca atender às necessidades imediatas e tem dificuldade em distinguir causas e efeitos. Acredita que sua solidariedade pode ser facilmente reconhecida por seus concidadãos, o que fortalece a sua imagem, e eventualmente é bom para sua inserção social, política ou meramente comercial. Muitas vezes estes doadores são também receptores de seus próprios recursos, pois tendem a apoiar organizações sociais às quais estão vinculados. Costumam atuar dentro de um sistema fechado e de pouca transparência. Não utilizam nenhuma estratégia para doar.

O terceiro arquétipo é o retribuidor. Ele dá como devolução, ou seja, como ele foi beneficiado por alguma entidade, retribui por meio da doação. Existem doadores que foram amparados por alguma organização, seja de caráter laico ou religioso em momentos difíceis de suas vidas e, tendo conseguido superá-los, acreditam que têm uma dívida pessoal que deve ser saldada mediante doação.

O quarto arquétipo é o herdeiro. Embora exista ainda certa dificuldade em entender como se dá a passagem de compromisso da filantropia de uma geração para a outra, existem aqueles que acreditam que há uma tradição familiar que integra a sua ação filantrópica à herança. É comum ver famílias que administram organizações da sociedade civil de prestação de serviço que auxiliam diferentes causas e públicos – crianças, idosos, portadores de deficiência, entre outros. Assim, a organização passa a ser um ente que a família tem a obrigação de apoiar. Tal tradição familiar é passada de geração em geração e ao herdeiro cabe a obrigação de continuar a mantê-la.

O quinto arquétipo é o *socialite*. É a pessoa que considera interessante promover eventos beneficentes, ou seja, verdadeiras festas. Ele doa porque acha prazeroso. Então, ao mesmo tempo em que arrecada fundos, óbvio, também se diverte. Normalmente são pessoas que trabalham com círculos sociais exclusivos, entre amigos, e a festa é importante porque mobiliza recursos que serão canalizados para questões sociais importantes. Este tipo de doador não trabalha no dia a dia da organização que é apoiada, dedicando-se exclusivamente para a arrecadação de fundos.

O sexto arquétipo é o altruísta. Para ele, fazer o bem é prazeroso. O doador altruísta acredita e se envolve com a causa que está apoiando. Normalmente é modesto e prefere ficar anônimo. Ele doa por acreditar que tem uma obrigação moral, um valor interno que necessita se manifestar. Este tipo de doador não é ativo nas organizações que apoia, pois na maioria das vezes está mais preocupado com as causas sociais: ambiental, criança, etc., do que com as organizações para onde seus recursos são destinados.

O último arquétipo é o investidor social. Modelo que o Idis acredita e gostaria de ver se multiplicar nos próximos anos, pois, para ele, fazer o bem é de fato um bom negócio. São pessoas que já têm experiência de gestão nos seus negócios e que, como gestores, olham a causa social preocupados com o seu impacto. Eles veem o investimento social tal qual um empreendimento e querem, realmente, com seus recursos, inovar e transformar a sociedade. Vivenciam o papel de um doador ativo, calibrando suas doações em equivalência ao grau de participação que podem ter em inspirar, participar e monitorar seu investimento. Têm preocupação com o planejamento estratégico, com a gestão, com a avaliação dos resultados, e com o profissionalismo advindo de suas ações; por isso querem ser assessorados por profissionais.

Não atuam sozinhos, buscam parcerias. Aprenderam a trabalhar e a valorizar a rede de relacionamento de um empreendimento: fornecedores, clientes, associações de classe. Apreciam a ideia de montar uma rede de sustentabilidade para o projeto. Eles não veem a sustentabilidade do processo na verba que empregam, mas, sim, na capacidade de criar e incentivar outros doadores. Em suma, querem criar as condições ideais para que o projeto perdure, mesmo após o término de seus investimentos. O perfil desse investidor é o que chama a atenção: são pessoas jovens, públicas e possuem um currículo que inclui voluntariado e filantropia. São pessoas como Sergei Brin, Larry Page, Bill Gates.

Segundo a revista *Forbes*, há 946 bilionários no mundo, com US$ 3,5 trilhões em ativos consolidados. O que surpreende, no entanto, é que da lista da *Forbes* dos cem mais ricos no mundo, 33 bilionários são de países fora do eixo EUA-Europa Ocidental, e 17 deles têm menos de 50 anos. Hoje há 14 bilionários na Rússia, oito na Índia, sete no Oriente Médio, três em Hong-Kong e um na América Latina.

É neste contexto que surge o conceito de filantropia 4.0, criado pela russa Olga Alexeeva, diretora da CAF Global Trustees. Alexeeva propõe o entendimento da evolução da filantropia similar ao entendimento da evolução de programas de software que, progressivamente, são apresentados em novas versões. A filantropia 4.0 é a evolução de uma filantropia tradicional. Assim, a *Filantropia 1.0* é a tradicional, que teve início com W. K. Kellogg e John D. Rockefeller, no começo do século 20. Intentava majoritariamente a criação de bibliotecas, hospitais, e de alguns programas que tinham por objetivo criar a necessária infraestrutura ausente no país. Então, veio a *Filantropia 2.0,* quando essas fundações criaram fundos patrimoniais significativos e programas de financiamento não só nos Estados Unidos, mas em diversas partes do mundo, para apoiar financeiramente a mudança social em todo o mundo. Veio então a *Filantropia 3.0,* caracterizada por novas ideias e pela maior participação dos doadores e das fundações nos projetos escolhidos.

A *Filantropia 4.0, por sua vez,* caracteriza uma filantropia de alcance global. Está presente em países em desenvolvimento na Ásia, no Leste Europeu, na América do Sul, países sempre vistos como receptores de dinheiro. Nesse novo modelo, empreendedores e filantropos locais trabalham juntos, casando resultados e ideias em prol da transformação social. Dessa forma, trata-se de uma filantropia mais sustentável – não apenas financeiramente, já que o setor social depende menos de contribuições internacionais –, mas também pelo fato de ser mais sensata com a cultura local, com sua identidade e com o passado do país. Não se trata mais de simplesmente copiar procedimentos do Ocidente, mas de levar em conta a cultura local e respeitá-la.

Nesta nova filantropia, os novos doadores entendem sua ação como investimento social, não como caridade. Eles são orientados aos resultados, gostam de assumir ativa participação em suas doações e, em geral, querem aplicar suas habilidades profissionais à filantropia. Novos doadores na Rússia, na China, na Índia e no Brasil, além, é claro, daqueles nos Estados Unidos e na Europa, se enquadram nessa definição.

Esses novos investidores geralmente preferem conceber e pôr em prática as suas próprias ideias e estabelecer instituições em vida. Não apreciam fazer doações para fundações que perpetuem seus nomes. Geralmente são mais jovens que os filantropos tradicionais, os quais realizaram seus primeiros investimentos sociais aos 60 ou 70 anos. Hoje, esses investidores estão na casa dos 35/45 anos. Na Rússia, segundo Olga Alexeeva, 80% dos bilionários têm menos de 45 anos. Na China, mais de 50% dos bilionários têm menos de 45 anos. E vale lembrar que Bill Gates fez seu primeiro bilhão aos 31 anos!

Esta nova filantropia está mais jovem e menos relacionada aos planos de aposentadoria e herança. Se considerarmos a ausência de incentivos fiscais na maioria dos novos países filantrópicos – como é o caso da América Latina, da Rússia e da China – vemos que o crescimento da nova filantropia não está diretamente incentivado por benefícios legais ou fiscais.

Um ponto importante de discussão são as fundações. Não encontramos no Brasil (nem na América Latina, na Rússia e na China) essa tradição comum nos Estados Unidos de criar fundações com fundos patrimoniais. A maioria das fundações latino-americanas é mais operativa do que doadora. Quer dizer, aplicam parte dos seus recursos à execução de programas e projetos sociais, e não na doação a terceiros. Além disso, os administradores de riqueza, os profissionais do investimento, não estão preparados para trabalhar adequadamente a ação social do investimento. Muitos só pensam na capacidade do dinheiro render e não na premissa de que o papel-moeda tem igualmente um *papel* social. Não existe essa figura do **wealth management** incorporar a ideia do social ou do socioambiental.

Eis a realidade que nós queremos construir para o investimento social, para que seja um elemento importante no desenvolvimento sustentável de nossas sociedades. E é também esta a realidade que buscamos para que o investimento social seja justo, inovador, estratégico, transformador.

Os bilionários, quando doadores, podem ser enquadrados numa tipologia que leva em conta suas motivações. Encontramos normalmente três grandes motivações. A primeira é a convicção. É a pessoa que, por seus valores, por acreditar na mudança do mundo, na capacidade de fazer o seu dinheiro ser importante, toma a decisão de doar. Infelizmente o grupo de pessoas com esse perfil ainda é restrito no presente cenário global.

O segundo grupo é o faz por conveniência, porque é importante para ele, porque ele adquire para o negócio ou para si certo prestígio. Sua motivação orienta-se pelos resultados advindos não da doação que fez, mas pela inserção social que pode obter em seu espaço de convívio. Esse tipo de doador também aproveita o tema do momento, detecta o que está na moda e investe nesse tema.

O último grupo é formado por pessoas que sofrem coerção, não por vontade própria, mas coagidos por alguma circunstância; seja uma pressão do contexto, dos clientes, dos concorrentes, dos empregados, da comunidade e da sociedade, dos seus amigos. Ele precisa responder a uma força externa.

Independentemente da origem que desencadeia a pretensão em realizar um Investimento Social, nosso grande desafio é transformar qualquer motivação em compromisso permanente. A convicção, coerção ou conveniência representam apenas o ponto de partida. É importante porque podemos, eventualmente, trabalhar diferentes estratégias para ajudar um grupo. Mas o que imaginamos é que todos podem chegar a um compromisso contínuo com a transformação social.

PANORAMAS DO INVESTIMENTO SOCIAL

CONTEXTO GLOBAL: UM CENÁRIO DE MUDANÇAS

O investimento social privado em países industrializados, tal como no caso dos Estados Unidos, da Austrália e do Reino Unido, está em plena fase de expansão e mudança. O investidor social de hoje apresenta um novo perfil: demonstra pouco interesse na tradicional doação de recursos e dá prioridade às iniciativas que possibilitem o seu engajamento e que tenham foco em resultados. Neste momento de transição e inovação é possível identificar algumas tendências e desafios globais.

Destaca-se como tendência global o surgimento de novos modelos de investimento social, muitos deles híbridos no sentido que mesclam abordagens do setor social e práticas do setor privado. Exemplo: o empreendedorismo social e a filantropia de risco. Consequentemente, a distinção entre o setor privado e o terceiro setor é cada vez menos clara. Hoje em dia, busca-se atribuir importância não só para o retorno social, mas também para o retorno econômico do investimento social privado. Tal atitude representa uma grande mudança, tanto para os investidores sociais, que têm por tradição buscar retorno social, quanto para o setor privado, que tem por tradição buscar apenas o retorno financeiro.

Esta tendência traz consigo um desafio a ser superado. Trata-se da necessidade de definir o que pertence ao campo do investimento social. Nenhum dos países mencionados acima tem uma única e clara definição de investimento social que englobe todos os seus componentes e modelos. Dentre os modelos mais tradicionais de filantropia e os mais inovadores de investimento social, é preciso definir como cada um será entendido e qual será o papel desempenhado por cada um na área de desenvolvimento social.

Outra tendência global é a expectativa de atingir resultados de larga escala e em curto prazo. Muitos dos investidores sociais atuais construíram sua própria fortuna de forma dinâmica e arrojada e querem ver esta mesma agilidade e coragem em seus investimentos sociais. Ou seja, o cenário atual é composto por investidores sociais que têm espírito empreendedor, geraram sua própria riqueza, e que querem ver os resultados de seu investimento social enquanto ainda estão vivos.

O contexto global atual passa também por um momento de significativa transferência de riqueza entre gerações, o que gera a expectativa de um grande aumento no volume do investimento social privado. Muitas das pessoas ricas de hoje estão chegando ao fim da fase de gerar riqueza e entrando nos anos de decidir como transferir ou distribuir a sua riqueza. Isto tem provocado muita expectativa de que os grandes bilionários decidam ainda em vida se envolver em investimento social privado e que grande parte desta riqueza seja direcionada ao setor social.

Finalmente, este cenário de mudanças e inovações vem contribuindo para uma maior profissionalização, transparência e eficiência do terceiro setor. Aumenta cada vez mais a demanda pela criação de cursos de ensino superior, pela produção de conhecimento e por oportunidades de troca de experiências entre diferentes países e regiões. Isto tudo está contribuindo para o desenvolvimento de um setor social diversificado, vibrante e dinâmico.

ESTADOS UNIDOS[5]
Rob Buchanan, diretor de programas internacionais, Council on Foundations[6]

Nos Estados Unidos não há uma única definição que englobe todos os componentes do investimento social privado. Este conceito diz respeito principalmente à filantropia estratégica, caracterizada por ter objetivos claros, um plano para alcançar estes objetivos e um conceito amplo de transformação social que vai além dos problemas sociais pontuais. Porém, o termo investimento social privado também é usado para se referir às doações tradicionais feitas para fins sociais, que é algo bastante popular nos Estados Unidos, à responsabilidade social empresarial, e à abordagem comercial ou modelos de negócio aplicados ao setor sem fins lucrativos.

Apesar da dificuldade de encontrar uma definição precisa de investimento social privado, que englobe todos os seus aspectos, a *Blended Value*[7] oferece uma definição interessante. Segundo esta organização, o investimento social privado inclui investimentos que buscam retorno financeiro e social, podendo ser dividido em investimento socialmente responsável, que são investimentos alinhados aos valores e ao negócio da empresa, e outras formas de investimento cujo principal objetivo seja gerar valor social e/ou ambiental.

Para entender o papel do investimento social privado nos Estados Unidos é importante lembrar que neste país sempre houve uma clara distinção entre o setor privado e o setor sem fins de lucro, ou seja, o terceiro setor. No entanto, desde o final da década de 1980, essa distinção vem, gradativamente, se abrandando, por uma série de fatores.

Um deles é a dificuldade dos programas governamentais em resolver problemas sociais. Nas décadas de 1960 e 1970, o governo financiou programas sociais bastante amplos, voltados à redução de problemas sociais

---

5. Texto extraído da transcrição do Fórum de Lideranças: O Futuro do Investimento Social Privado na América Latina

6. O Council of Foundations é uma organização sediada em Washington, DC, nos Estados Unidos, que possui cerca de 2,1 mil membros de diferentes tipos dentre fundações familiares privadas, empresas, fundações relacionadas a empresas e fundações comunitárias.

7. A Blended Value é uma entidade norte-americana que analisa o setor comercial e o setor social sem fins lucrativos tentando criar definições < *http://www.blendedvalue.org/* >

que afetavam o país. Porém, ao final da década de 1980, percebeu-se que esses programas fracassaram porque não haviam trabalhado a causa e a raiz dos problemas.

Em meados da década de 1990 foi aprovada a reforma da previdência, que levou à reformulação das políticas de financiamento às camadas mais pobres da população e à redução do financiamento público para programas sociais. Este foi um sinal de mudança, uma clara mensagem de que com a redução dos investimentos sociais do governo, caberia ao terceiro setor assumir parte deste papel de contribuir com a transformação da realidade social. Com isso, aumenta a responsabilidade e o papel do terceiro setor em lidar com as questões sociais e ambientais do país. Aumenta também a profissionalização deste setor, já que as organizações da sociedade civil tiveram que desenvolver novas estratégias de sustentabilidade.

Concomitantemente, ocorre nas décadas de 1980 e 1990 a expansão do movimento de responsabilidade social empresarial (RSE). Há uma nova geração de presidentes de empresas que estiveram envolvidos no movimento de agitação social das décadas de 1960 e 1970 nos Estados Unidos e que se sentem pressionados a lidar com as questões sociais. Ao fazer isto, eles conseguem gerar não só resultados sociais e/ou ambientais, mas também melhorias no desempenho financeiro destas empresas.

Finalmente, temos o grande sucesso das empresas de tecnologia, na região da Califórnia, que produziu acúmulo de riqueza e disseminou o conceito de que os recursos privados, oriundos de atividades econômicas, podem ser utilizados para promover transformações sociais, de formas bastante inovadoras. Todos estes fatores contribuíram para que, hoje, a distinção entre o setor privado e o terceiro setor seja menos clara.

Atualmente o que preenche a fronteira entre estes dois mundos é o investimento social privado, através de uma série de ações que mesclam modelos de negócio com modelos de intervenção social. Assim, temos hoje nos EUA uma distinção muito menos clara entre o setor privado e o setor sem fins de lucro, e tanto a comunidade empresarial quanto as organizações sociais sentem a necessidade de continuar a trabalhar nessa área para que o modelo obtenha sucesso.

A tendência atual de investir enormes quantias de recursos privados no setor social provoca um novo debate. Nos EUA está ocorrendo uma transferência de trilhões e trilhões de dólares da geração que nasceu logo depois da Segunda Guerra Mundial para os seus filhos. Há expectativa de que grande parte destes recursos seja investida em iniciativas filantrópicas inovadoras, já que nos Estados Unidos, diferentemente da América Latina, os investidores individuais e familiares têm uma atração maior pelos modelos experimentais e estão mais dispostos a assumir riscos. Há maior abertura ao risco porque os investimentos são de sua própria riqueza e de seu próprio capital e porque muitos têm um espírito empreendedor e querem ver resultados realizados enquanto ainda estão vivos. Porém, há uma crescente preocupação em maximizar o retorno sobre os investimentos sociais.

O aumento no volume de recursos investidos e a facilidade de comunicação oferecida pela internet contribuirão para maior transparência e responsabilidade em todo o terceiro setor. Por exemplo, a internet e os bloggers podem simplesmente divulgar para o público o que não está dando certo. Neste ano, deu-se um problema com a Fundação Bill & Melinda Gates. Ela fazia grandes investimentos em áreas que iam contra as metas sociais da fundação. A internet e alguns blogs trouxeram isso ao conhecimento público.

Enfim, vivemos uma época muito interessante para o setor. O investimento social privado está em fase de expansão e transição, e no momento há muita inovação voltada para o bem comum.

REINO UNIDO E EUROPA

Russell Prior, diretor-executivo dos programas corporativos,
Rede CAF Internacional

Tal qual nos EUA, na Europa também existe a dificuldade de estabelecer uma definição clara de investimento social. Entretanto, a definição que melhor reflete o momento atual do investimento social na Europa e no Reino Unido é a da *European Venture Philanthropy Association (EVPA)*, que define investimento social como um modelo de *private equity* e capital de risco aplicado a setores filantrópicos e sem fins lucrativos. De um lado, técnicas financeiras, combinação de recursos, habilidades e práticas. De outro, doadores que querem maximizar o retorno social de seus investimentos. Esta definição traz novos elementos, como capital de risco, e diferentes modelos de financiamento porque, na Europa, cada vez mais, o investimento social se distancia das formas tradicionais de filantropia.

A Europa é uma comunidade com muitos países e diversidade. Existe certa tensão entre o modelo anglo-saxão, que é mais empresarial e inovador, e o modelo da Europa continental, que é mais próximo do formato tradicional de filantropia. No Reino Unido, o que se vê é que a filantropia e o investimento social têm crescido fortemente desde o começo dos anos 1990. Este país está na vanguarda do investimento social europeu, e Londres, por ser um importante centro financeiro, é o lugar onde mais se vê inovação.

A Europa Oriental, por sua vez, que concentra grande parte dos países que se juntaram recentemente à comunidade europeia, tem uma abordagem um pouco menos desenvolvida, mas está adotando novos modelos muito rapidamente. Portanto, o que o Reino Unido pode ter levado 15 anos para alcançar, estes países levarão muito menos tempo porque já têm marco regulatório fiscal correto para o desenvolvimento da filantropia e do investimento social. A criação de ambientes fiscais cada vez mais favoráveis ao incentivo de doações também tem contribuído para o aumento do investimento social nestes países. Simultaneamente, na medida em que as formas de governo tornam-se mais democráticas, observa-se também nestes países um rápido crescimento de organizações com propósito social.

Na Europa, os modelos de investimento social estão polarizados entre os modelos mais tradicionais de filantropia e modelos de investimento mais comerciais e financeiros. Entre estes dois extremos, há inúmeros modelos sendo criados, desde organizações que vendem bens e serviços para captar recursos, passando por empresas com fins sociais que prestam serviços de natureza social, até fundos que pagam parte de seus lucros a fundações sem fins lucrativos, conquanto que as operações apresentem bons resultados.

Espectro de modelos de investimento social no Reino Unido

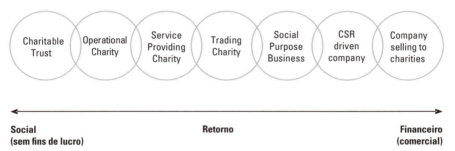

Atualmente, os investidores sociais esperam que os projetos apresentem transparência e resultados a curto prazo. Esse é um dos motivos pelos quais tantas iniciativas inovadoras vêm surgindo. Essa busca por resultados ocorre porque muitos desses investidores construíram sua fortuna de forma muito dinâmica e querem este mesmo dinamismo em seus investimentos sociais.

Assim como mudaram as expectativas e as posturas dos investidores individuais, a forma do governo fazer investimentos no setor social também tem mudado. O que se observa é que os financiamentos públicos estão condicionados à prestação de serviços. Desta forma, o governo valoriza o papel desempenhado pelo setor social, mas espera que o setor opere de forma mais comercial. Esta mudança de postura do governo provocou, nas organizações da sociedade civil, uma pressão por resultados.

O diagrama abaixo mostra o grau de correlação entre o envolvimento dos doadores e o retorno desejado. A figura mostra apenas algumas das muitas organizações do Reino Unido que estão operando nesse campo. Há uma tendência para que todos os tipos de organizações se aproximem do centro, buscando atribuir o mesmo grau de importância para o retorno social e para o retorno financeiro. Isso é uma grande mudança, tanto para os fundos tradicionais e fundações, cujo histórico pretende o retorno social, quanto para os bancos, cujo histórico intenta o retorno financeiro.

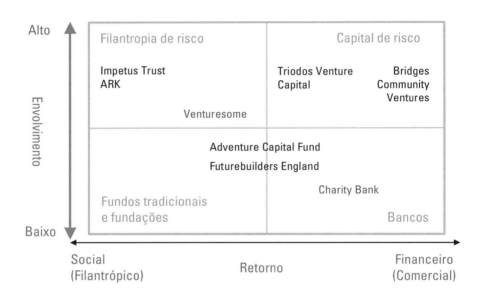

A *Venturesome*, iniciativa da CAF, foi fundada há cinco anos como um fundo de alto risco para explorar inovações neste mercado. A ideia era encontrar um espaço entre a doação e o empréstimo. Não seria um empréstimo normal de um banco, mas também não seria uma doação tradicional, em que não há expectativa alguma de retorno. Buscava-se assumir maior risco, e, ao mesmo tempo, obter retorno social mais significativo. Esse era o equilíbrio buscado.

Após cinco anos em operação, a *Venturesome* já celebrou centenas de convênios, tem sete milhões de libras esterlinas em aberto, em termos de financiamento, doação e empréstimo. A expectativa de sucesso é de 70% dos fundos oferecidos. Trata-se de uma filosofia da iniciativa, porque um banco não aceitaria, em hipótese alguma, sofrer perdas equivalentes a 30% do valor investido. A experiência tem mostrado que as taxas de retorno estão próximas a 90%. As taxas de juros cobradas não são ajustadas em função do risco do empreendimento porque seriam muito altas. O que se procura cobrar é uma taxa de juros entre 6% e 8%, com base nas taxas disponíveis no Reino Unido.

Apesar de a *Venturesome* ser um fundo de sete milhões de libras, este montante é relativamente pequeno em face da disponibilidade de recursos existentes para estes fins. Entretanto, o acesso a estes recursos não é fácil. Então, será que este modelo pode ser aplicado em economias e mercados emergentes? Perante o contexto e diante das tendências do investimento social na Europa, alguns fatores poderão influir no futuro do investimento social na América Latina. A globalização está trazendo uma mudança constante na forma como o setor empresarial assume o seu papel no apoio às causas sociais. A combinação da riqueza de fundações familiares, indivíduos e empresas parece estar disponível para apoiar o setor.

O papel assumido pelos mercados de capital pode ser muito importante no futuro do investimento social porque as empresas possuem muito conhecimento, experiência e habilidades. Há muitos modelos de financiamento do setor social surgindo do mercado de capitais e este *expertise* é muito importante na criação destes modelos experimentais.

Finalmente, para aproveitar estas oportunidades, o setor precisa se profissionalizar ainda mais e as organizações precisam estar mais dispostas a assumir riscos, a inovar e a experimentar novas formas de financiamento. Se elas não estiverem preparadas para isso, os fornecedores de capital não terão onde investir.

AUSTRÁLIA E ÁSIA-PACÍFICO
Michael Liffman, diretor do Centro de Filantropia
e Investimento Social da Ásia-Pacífico, Swinburne University

É muito difícil traçar o contexto atual da filantropia e do investimento social da região Ásia-Pacífico pela diversidade histórica e cultural da região. Em alguns países, os recursos provenientes de fundos internacionais para desastres naturais e o recebimento de recursos de expatriados fazem com que a filantropia nestes países seja muito diferente da praticada no Ocidente.

A Austrália, especificamente, vive um momento de transição porque, apesar de possuir uma forte herança cultural e institucional britânica no que se refere aos modelos de filantropia e investimento social, está adotando práticas e modelos que se aproximam aos adotados nos Estados Unidos. Isso ocorre em função da transferência de riqueza entre gerações, fenômeno que afeta tanto o contexto atual da filantropia e do investimento social dos Estados Unidos quanto da Austrália.

A região Ásia-Pacífico apresenta certa contradição nas práticas de filantropia e investimento social. Se, por um lado, a região exporta modelos e tendências da mesma forma que o *Clube do 1%,* no qual a Federação das Indústrias da Coreia congrega empresas que destinam 1% de seu faturamento bruto ao investimento social, o *Philippines Business For Social Progress* efetua seu investimento social junto às empresas. Em suma, falta infraestrutura para o desenvolvimento da filantropia e do investimento social. Em muitos países, a mídia está pouco sensibilizada para esses temas. Nota-se a ausência de um marco legal e tributário que favoreça o desenvolvimento da filantropia e do investimento social, e faltam experiências e conhecimento sobre mobilização de recursos e gestão do setor social. Além disso, são raras as experiências de alianças intersetoriais e parcerias entre o governo e as organizações da sociedade civil.

O investimento social tem sido visto como uma forma de atenuar tanto os excessos e as desigualdades do capitalismo quanto o fracasso do socialismo. As ações neste campo evidenciam desde tradicionais formas de caridade a ações para a construção de capital de risco necessário ao desenvolvimento social. As diferenças entre investimento social e filantropia, fazendo as devidas distinções entre assistencialismo, filantropia e investimento social, são muito importantes. Entretanto, poucas organizações na região debatem o tema. A *Social Venture Australia* é uma destas organizações que está evoluindo de uma abordagem de filantropia mais tradicional para a adoção e promoção de modelos mais complexos de investimento social.

Nestas discussões, também é preciso definir como se dará a evolução de um modelo mais tradicional de filantropia para os modelos mais modernos, à luz do que se vê no continente europeu, especialmente no Reino Unido. O objetivo principal do investimento social é apoiar resultados e não intenções. Assim, o investimento social pode ser definido como a utilização de recursos privados, sejam eles de empresas, famílias ou instituições, para chegar a resultados, indo além das intenções. Em outras palavras, apoia-se na obtenção de dividendos sociais.

Há dois grandes desafios a serem vencidos pela região Ásia-Pacífico no que tange ao desenvolvimento do investimento social. O primeiro deles é a falta de oportunidade de formação profissional nessas áreas, em nível de ensino superior, diferentemente do que ocorre nos Estados Unidos, onde há uma série de escolas que oferecem formação ao setor. À semelhança do mundo corporativo, o mundo do investimento social também busca obter um retorno, com a distinção de que, no último caso, o retorno buscado é transformar a realidade social. A obtenção deste retorno é muito complexa. Enquanto os executivos do mundo corporativo recebem uma formação específica para o desempenho de suas funções, o mesmo não ocorre com os profissionais que atuam no setor sem fins lucrativos. A filantropia e o investimento social são temas que deveriam constar, obrigatoriamente, das disciplinas dos cursos de administração. A melhoria na formação dos profissionais contribuiria com a profissionalização do setor.

O segundo desafio a ser superado também se aplica ao contexto norte-americano e ao europeu. Entre os modelos tradicionais de filantropia e os modelos mais modernos há uma série de modelos. Dentre todos eles, é preciso definir o que faz parte, realmente, do investimento social porque cada vez mais empresas atuarão no setor social, por diferentes motivações, seja por novas oportunidades, seja pela privatização, seja pela terceirização do setor público para o privado ou por outros motivos.

Na Austrália, sempre houve lares para idosos gerenciados pelo setor privado, médicos e outros profissionais que prestam serviços com finalidade social, mas o fazem com finalidade lucrativa. Dessa forma, faz-se necessário rever se a definição de investimento social só se aplica às organizações da sociedade civil, excluindo as empresas com fins lucrativos que prestam serviços e desenvolvem produtos com finalidade social, ocupando lugares tradicionalmente preenchidos pelo terceiro setor.

Finalmente, é preciso alterar o paradigma de que o trabalho desenvolvido pelo terceiro setor é positivo e que o trabalho desenvolvido pelo setor com fins lucrativos é negativo. Há um caso que ilustra bem a necessidade de alterar o presente paradigma. Há alguns anos, um dirigente de uma organização sem fins lucrativos teve a oportunidade de fazer uma apresentação sobre o terceiro setor para um grande empreendedor e empresário australiano. Na ocasião, o dirigente apresentou a importância do terceiro setor. O empresário, por sua vez, ouviu de forma cordial, mas ao final da apresentação agradeceu e disse que não havia entendido nada. O empresário deu dois motivos para seu desentendimento. Primeiro, o apresentador falava de um setor do qual o empresário pouco entendia, visto que administra suas empresas sob a lógica do lucro. Para ele, é difícil entender como as organizações sobrevivem se não geram lucro. O terceiro setor busca e deve obter lucro. Entretanto, este lucro é investido de uma forma diferente e garante a sustentabilidade das organizações. Portanto, falar que a organização não tem fins lucrativos pode soar enganoso.

Em seguida, o empresário falou: "Após seus comentários, compreendo que tudo aquilo que eu desenvolvo em meu complexo industrial para promover a melhoria das condições de vida na sociedade (geração de milhares de empregos e da movimentação da economia) é pouco virtuoso!"

Ele não apreciou essa percepção, já que a geração de empregos e a atividade econômica também geram desenvolvimento social. Além disso, há muitas empresas fazendo investimento social de forma inovadora, pensando em reciprocidade, utilizando indicadores de desempenho e buscando realmente promover transformações.

Dentre todos os modelos de filantropia e investimento social, desde os mais tradicionais até os mais modernos, é preciso definir como cada um será entendido e, igualmente, o seu papel.

CONTEXTO REGIONAL: AVANÇOS PARA A TRANSFORMAÇÃO SOCIAL

Nos últimos 20 anos a América Latina passou por um momento de grande redefinição conceitual, envolvendo principalmente o conceito de cidadania e da esfera pública não governamental. Há um novo entendimento dos papéis que o Estado, o mercado e a sociedade civil desempenham. Observa-se em vários países a consolidação da democracia e, consequentemente, a rápida criação e desenvolvimento da sociedade civil organizada.

Este novo cenário contribui para o fortalecimento do investimento social privado na região, seja em termos da conscientização do papel do investidor social, seja em volume dos recursos investidos. Contribui também para a profissionalização do terceiro setor, principalmente no que se refere à formação de lideranças e às práticas de gestão.

Apesar dos grandes avanços dos últimos dez anos, esta nova era do investimento social privado na América Latina encontra ainda muitos desafios. Diferentemente do que ocorre nos EUA, prevalece na região o investimento social corporativo, com muitas famílias de alto poder aquisitivo optando por realizar sua filantropia por meio da empresa, em vez de estruturar uma fundação familiar. Ainda que as experiências de investimento social corporativo na região sejam muitas e boas, esforços são necessários para promover também modelos de investimento social familiar e comunitário. Esta diversidade de modelos é necessária para o desenvolvimento de um saudável e robusto campo de investimento social privado na região.

Na América Latina ainda persiste a cultura assistencialista de investimento social, o que dificulta o desenvolvimento de uma visão estratégica que trabalhe a causa ou raiz dos problemas e obtenha resultados sustentáveis a longo prazo. A abordagem assistencialista dificulta também a intervenção em larga escala, com potencial de alcançar maior impacto.

Outro grande desafio é comunicar os resultados alcançados à sociedade e ao governo. O contexto atual do investimento social na América Latina muito se beneficiará de uma maior produção do conhecimento acumulado nos últimos dez anos e de uma boa estratégia de comunicação para disseminá-lo. Há ainda desconfiança, por parte da sociedade, quanto ao investimento social privado; e muito desta desconfiança se dá por falta de conhecimento. Por exemplo, é voz corrente a errônea noção de que os institutos empresariais existem apenas para a empresa se beneficiar dos incentivos fiscais. Em contrapartida, os estudos mostram que é exatamente o contrário. O volume de investimento social aumenta com a criação de um instituto empresarial, ultrapassando o montante proveniente de incentivos fiscais.

Em alguns países há também desconfiança por parte da sociedade sobre a reputação e a seriedade das organizações do terceiro setor. Portanto, é preciso disseminar as boas práticas, os sucessos alcançados e valorizar a contribuição das empresas, famílias e comunidades no desenvolvimento social. O investimento social privado não se dá em um vácuo, ou seja, ele ocorre em um contexto onde há outros atores de igual influência e relevância. Assim, é muito importante estar atento ao seu papel diante do relacionamento com o governo e com a sociedade civil.

Finalmente, esta nova era do investimento social privado no continente latino-americano é consequência de uma mudança na maneira do setor privado fazer seus negócios, na concepção do Estado e no papel da sociedade civil. Isto demanda novas atitudes do investidor social. Arriscar e inovar são algumas delas. Às organizações do terceiro setor cabe usar esta oportunidade de mudança para fortalecer e profissionalizar o seu trabalho. Assim, quando o investidor social estiver pronto para investir não encontrará dificuldades em localizar organizações executoras. Aos governos, cabe reconhecer e apoiar o investidor social, por meio de políticas fiscais e outras medidas que incentivem o aumento das doações. E, para dar escala e garantir a sustentabilidade dos resultados alcançados, é fundamental que os três setores trabalhem em conjunto, adotando práticas de colaboração intersetorial para o desenvolvimento social.

✳

MÉXICO
Jorge Villallobos, presidente-executivo do Centro Mexicano para a Filantropia (Cemefi)

Nos últimos 20 anos a América Latina vem passando por uma grande redefinição conceitual, envolvendo o conceito de democracia e de cidadania. Há um novo entendimento do papel que o estado, a sociedade civil e o setor privado desempenham em relação à sociedade.

Além do avanço conceitual, a região também passou por um surpreendente crescimento econômico. Três países da América Latina – Brasil, México e Argentina – estão hoje entre as 20 maiores economias do mundo. Porém, apesar do sucesso financeiro, ainda permanece o desafio de reverter a tendência de pobreza. Eis o grande paradoxo da região.

Na América Latina não há forte tradição de filantropia. Segundo o estudo comparativo do terceiro setor, realizado por Salamon, da Universidade Johns Hopkins (1998), nos 34 países estudados, as doações representam, em média, 0,38% do PIB. Contudo, a média na América Latina é de 0,23%. Com relação às fontes de financiamento, os dados também são interessantes. Há três fontes: o governo, fazendo seus aportes de recursos por meio de isenção de impostos ou por transferências diretas; a filantropia privada e empresarial; e as cotas de serviços que são distribuídas para as organizações da sociedade civil. A média de transferência governamental ao setor privado de serviços públicos é de 34%, da filantropia é de 12%, e das cotas e serviços, 53%. Ou seja, na América Latina o governo contribui com muito pouco e a filantropia contribui com menos ainda. A grande contribuição vem dos cidadãos, que pagam pelos serviços, pelas cotas e pelos impostos governamentais.

Panoramas do investimento social | 45

INVESTIMENTO SOCIAL PRIVADO (VOLUNTARIADO E DOAÇÕES) EM TERMOS DO PIB

País	Doações (fundações, empresas, pessoas)	Voluntariado	Total
Reino Unido	0.620%	1.96%	2.57%
Estados Unidos	1.01 %	1.48%	2.47%
Espanha	0.87 %	1.25%	2.10%
Argentina	0.38 %	1.03%	1.41%
Colômbia	0.32 %	0.28%	0.60%
Peru	0.26 %	0.06%	0.33%
Brasil	0.17 %	0.10%	0.27%
México	0.040%	0.08%	0.12%
Média dos 34 países	0.388%	1.12%	1.50%
Média AL	0.23	0.31	0.54

Fonte: Johns Hopkins University, Projeto Comparativo do Terceiro Setor 1998

Enfim, existe uma real necessidade de aumentar as contribuições filantrópicas na região e explorar melhor o potencial do investimento social privado na transformação social. No México, são poucas as pesquisas que oferecem dados sobre o investimento social privado, e a informação do governo é pouco precisa. Mesmo assim, podemos afirmar que o número de entidades doadoras, principalmente as fundações e programas empresariais, tem crescido.

Até dez anos atrás, não havia grandes fundações no México. A maior, na época, era a Mary Street Jenkins, promovida por um americano que vivia no México. Hoje em dia, a Fundação Mary Street Jenkins é a sétima maior do país, pois, nos últimos anos, foram criadas outras grandes fundações. A Fundação Gonzalo Río Arronte, criada por um empresário mexicano que deixou em testamento US$ 600 milhões, é hoje uma das maiores do México. Tal precedente no país provocou, por exemplo, a Fundação Carlos Slim a divulgar o valor de seu patrimônio e a se comprometer com investimento social de aproximadamente US$ 10 bilhões.

A Fundação Carson e a Fundação Telmex também operam programas com patrimônio acima de US$ 1 bilhão. Outro exemplo interessante é o Fundo Mexicano para a Conservação da Natureza, oriundo de uma doação de US$ 10 milhões feita pelo governo americano com uma contrapartida do governo mexicano. US$ 20 milhões foram repassados à iniciativa privada para a formação do fundo. Com uma boa gestão financeira e mais doações, após 15 anos, os US$ 20 milhões transformaram-se em US$ 100 milhões. Há também a Fundação Magdalena Brockmann, a Walmart, a Fundação Ford, a Fundação Merced, e assim por diante.

Eis os sinais da nova era filantrópica no México. Historicamente, o primeiro período da filantropia mexicana, chamado de conquista, vai de 1521 a 1860, a qual caracteriza-se pela forte presença da igreja católica no campo da assistência social. Eram responsabilidades da igreja a educação, saúde, hospitais e cuidados com viúvas indigentes. A igreja também era proprietária da maior parte do território nacional e produzia o dinheiro a ser investido socialmente.

Em 1860, houve uma reforma promovida por Benito Juarez. Os bens da igreja foram confiscados pelo Estado, o qual assumiu então a responsabilidade pela assistência social. Esta foi uma mudança muito importante para a transformação social: o que era feito no setor privado por razões religiosas, agora passa a ser feito pelo Estado, na forma de obrigação legal do Estado.

O segundo período da filantropia mexicana vai de 1861 a 1960, quando o Estado assume a assistência social e é criada a junta de assistência privada, órgão de controle cuja tarefa primordial era evitar que as propriedades passassem às mãos da igreja novamente. Com a revolução mexicana a consolidação do Estado foi possível e, por conseguinte, idem o estabelecimento dos grandes programas de assistência para educação, saúde, moradia, etc.

O terceiro período vai de 1961 a 1985, e pode ser caracterizado pelo surgimento da ideia de cidadania. O ano simbólico foi 1985, quando o país foi assolado por um terremoto terrível. Tal desastre provocou a reação da sociedade civil, o que acabou resultando na conscientização dos cidadãos sobre a participação social, as novas causas sociais e o terceiro setor.

O quarto período, que começa em 1986, é marcado pela introdução do conceito de filantropia e de voluntariado, promoção da responsabilidade social/empresarial, surgimento de novas fundações doadoras e maior participação no setor social. Em 2004 foi aprovada uma nova lei para a reforma fiscal, introduzida em 2007. Hoje vivemos o período de expansão e fortalecimento do investimento social.

Ao longo destes períodos, a filantropia mexicana manteve fortes características de assistencialismo que, de certa forma, estão presentes também nos outros países da América Latina. A tradição de ajuda social por razões humanitárias ligadas a motivações religiosas, ou seja, a salvação religiosa, é muito forte na cultura da região.

A tendência ao assistencialismo se expressa em vários níveis. As doações são concentradas principalmente em ações assistencialistas ou suplementares para educação e saúde. O empresariado mexicano doa para o governo, em vez de doar para a sociedade civil e assim fortalecer a cidadania. Os meios de comunicação estimulam a doação assistencial de caridade. Os governos, ainda que digam querer a participação dos cidadãos, têm dificuldade em abrir mão de seu controle e sentem indisfarçável incômodo com a organização da sociedade civil. No aspecto legal, a lógica do assistencialismo entende que não há necessidade de estímulo fiscal, já que o filantropo contribui porque quer ser uma boa pessoa.

Ainda assim, vivemos um momento de crescimento fantástico no número dos doadores, no valor das doações e no debate sobre o destino das doações. Há maior consciência por parte das empresas, da sociedade civil e de algumas autoridades governamentais, da complementaridade do dinheiro privado em ações que o governo não consegue atender sozinho.

ARGENTINA
Carolina Langan, coordenadora-geral do Grupo de Fundações e Empresas da Argentina

Na Argentina, o grande desafio em termos de investimento social privado está na inovação e na abrangência de seu escopo para abraçar também causas sociais não tradicionais. Na América Latina temos as áreas tradicionais de apoio – saúde, educação e desenvolvimento comunitário. O investidor social sente-se confortável nessas áreas. Pesquisa de responsabilidade social corporativa na Argentina mostra que 88% dos entrevistados estão satisfeitos ou altamente satisfeitos com os resultados de suas intervenções sociais. O desafio está então em ir além da conformidade. É claro que quando se faz coisas boas ninguém quer mudar, mas é preciso motivar os doadores a ir além para gerar programas transformadores.

Também há um desafio em termos do apoio às chamadas organizações especializadas em ações de *advocacy*, pois, em geral, os investidores sociais tendem a apoiar organizações que prestam serviços, o que é congruente com os altos níveis de pobreza e indigência e as deficientes redes de assistência social pública da região. Mas é importante apoiar também as organizações que trabalham com causas sociais específicas.

Outro desafio interessante é desenvolver um processo de formação de valores da responsabilidade social do cidadão, da consciência social cidadã, sob a lógica dos direitos sociais universais. Com isso, me refiro não só a compreender que todos nós, como cidadãos, temos direito a certos serviços, mas, acima de tudo, temos direito à oportunidade de nos apropriar adequadamente desses bens e serviços.

É importante também ter acesso a conhecimento teórico que ofereça elementos para escolher uma determinada estratégia ou uma posição com relação ao problema. Muitas vezes nos concentramos nos efeitos do problema por não compreender a magnitude, as origens e a causa ou raiz de um determinado problema social.

Também é preciso operar com base em diagnóstico, o que é difícil, porque muitas vezes os dados não existem, há pouca informação disponível.

Dessa forma, a demanda por pesquisa torna-se alta. Outro desafio refere--se ao desenvolvimento de tecnologias, de uma engenharia social. É preciso aprender como gerenciar nossos conhecimentos e como qualificar nosso aprendizado, para que possam ser disseminados.

Cabe ao terceiro setor motivar, promover e desenvolver novos investidores sociais. Na Argentina é muito importante desenvolver doadores privados, e as pequenas e médias empresas são primordiais para o bom andamento do processo. Em contrapartida, cabe ao setor público estimular as organizações da sociedade civil e os doadores privados, melhorando a legislação de incentivos fiscais.

Um tópico bastante interessante a ser mencionado é que nenhum dos países da região está livre de situações de catástrofes ou de emergência. Entretanto, temos muito pouco conhecimento sobre o assunto. É importante examinar as experiências que outros países já tiveram e aprender a atuar em coordenação. Eu não sei, realmente, se houvesse na Argentina hoje uma situação de catástrofe, de emergência, se os doadores seriam capazes de efetuar doações adequadas e de maneira organizada.

No caso específico da Argentina, um dos principais desafios é democratizar e federalizar os investimentos sociais do país. Outro grande desafio é ter maior *accountability*, isto é, mais responsabilidade e transparência, por meio de auditorias sociais e de avaliações das instituições. Além disso, há necessidade de rever a lógica de financiamento de projetos, para que iniciativas de investimento social privado contribuam para o fortalecimento do terceiro setor e da filantropia. Tal premissa inclui contribuir para a sustentabilidade e o fortalecimento das organizações sociais, para o desenvolvimento e retenção de recursos humanos, e para a atenção da mídia aos temas sociais.

Os desafios são muitos, mas muitas também são as oportunidades. A *e-phylantrophy* é um bom exemplo do quanto podemos fazer na internet para mobilizar maiores recursos em prol de causas sociais. Há vários exemplos de como com um único clique, você pode mobilizar recursos sem nenhum esforço.

O contexto atual também é propício para o desenvolvimento cooperativo, para o trabalho em conjunto. Um bom exemplo para ilustrar isto é a Rede América, onde é possível estabelecer cooperação com organizações de outros países e juntos trabalhar para a definição de um posicionamento regional.

Também há excelentes oportunidades para o desenvolvimento do investimento social das empresas. A fundação é um modelo muito interessante porque oferece estabilidade, permanência e foco de atuação. Em contrapartida, as fundações têm estatutos muito rígidos. Já as empresas são mais flexíveis em seu investimento social e têm, portanto, mais facilidade para apoiar modelos não tradicionais como, por exemplo, microfinanças e empreendedorismo social. Há coisas muito simples que a empresa também pode fazer, por exemplo, o método *teaming*, que é simplesmente criar microdoações em equipe, assim é possível canalizar muitos recursos. Cabe à empresa apenas coordenar a iniciativa.

O momento agora é de avançar ainda mais o investimento social privado na América Latina, contagiando um grupo cada vez maior de pessoas com valores de cidadania e solidariedade. Chegou o momento de darmos este passo à frente e contagiar toda a sociedade, para que ela possa se apropriar de todos estes bens, que, em última análise, são bens públicos.

※

BRASIL
Fernando Rossetti,
secretário-geral, Gife

A discussão sobre o Investimento Social Privado na América Latina deve responder a questões relacionadas à definição de papéis, distinção entre Investimento Social Privado (ISP) e Responsabilidade Social Empresarial (RSE); consolidação do ISP e financiamento do Terceiro Setor.

DEFINIÇÃO DE PAPÉIS
Persiste ainda uma séria dificuldade em definir os papéis dos três grandes setores da sociedade, ou seja, o governo, o setor privado e o terceiro

setor. Ainda que date do começo da década de 1990, a imagem abaixo continua sendo atual no panorama do investimento social privado.

GIFE, 2007

O Estado foi enfraquecido nos discursos dos anos 1990. Falava-se que o Estado era malgerido e que, portanto, as empresas e a sociedade civil deveriam cumprir um papel maior na construção de uma sociedade sustentável. Na década de 1990 havia, por exemplo, empresários que acreditavam ser necessário privatizar o sistema de ensino público.

Atualmente já há uma percepção coletiva mais desenvolvida de que é impossível pensar em investimento social privado sem pensar no papel do Estado. O investimento social privado e a sociedade civil se organizam numa sociedade de acordo ou em interface com as políticas públicas que o Estado oferece. Dessa forma, precisamos criar instâncias intersetoriais onde estes três atores, que têm ritmo, cultura, e aspirações diferentes, possam se encontrar e formular propostas para o bem público, para aquilo que é de todos nós, mas que não é necessariamente estatal.

DISTINÇÃO ENTRE INVESTIMENTO SOCIAL PRIVADO E RESPONSABILIDADE SOCIAL EMPRESARIAL

Responsabilidade Social Empresarial é a gestão do negócio de maneira sustentável e responsável com todos os públicos de relacionamento da empresa. Já o investimento social privado é o aporte voluntário – esta é a palavra talvez mais importante, voluntário quer dizer que a empresa faz o aporte porque quer, não há obrigação legal de fazer isso – de recursos privados, aqui a palavra recursos esclarece que não se trata apenas de aporte financeiro, pois o aporte pode ser competência, conhecimento, materiais. O investimento social privado se diferencia dos modelos assistencialistas de atuação na sociedade porque este investimento de recursos na *sociedade* é planejado, é sistemático, é monitorado.

GIFE, 2007

Há dez ou 15 anos, no Brasil, a responsabilidade social empresarial e o investimento social privado estavam em campos diferentes. A responsabilidade social estava mais no campo do privado, da gestão do negócio, da empresa, e o investimento social privado estava mais no campo público, das ONGs, do terceiro setor, do Estado. O que vemos a partir de 2000? As empresas vão-se tornando cada vez mais sociais e as ONGs e todas as organizações da sociedade civil assumem cada vez mais uma personalidade empresarial. Este é um fenômeno não somente do Brasil, é um fenômeno global, onde não há mais uma clara distinção entre o social e o privado, pois algumas vezes é difícil definir se uma ação de uma fundação empresarial é investimento social, privado ou responsabilidade social empresarial. Ações *ganha-ganha*, onde ganha a comunidade e ganha a empresa dificultam esta distinção.

Além disso, está acontecendo um fenômeno interessante: as organizações que foram criadas para trabalhar com investimento social privado, hoje são chamadas pelas empresas para ajudar a facilitar a relação com vários dos seus *stakeholders* (qualquer pessoa ou organização que tenha interesse pelo projeto. Stake: interesse, participação, risco; holder: aquele que possui). Ou seja, está surgindo um novo papel para as fundações corporativas. É um papel onde ela atua não só para fora, com a comunidade, mas ela traz para a empresa o seu repertório sobre a questão social, ambiental e cultural, e ajuda a própria empresa na construção de planos de negócio que incorporem uma relação mais sustentável. Este é um momento de transição em que a definição de investimento social empresarial fica empobrecida diante da complexidade das ações no momento.

CONSOLIDAR O ISP

A partir da definição clássica de investimento social privado e da observação das organizações que trabalham investimento social privado, é possível perceber uma tipologia, conforme o desenho abaixo.

GIFE, 2007.

O primeiro tipo se refere ao assistencialismo, à caridade: o doador lida com o sintoma e não com a causa do problema social, ou seja, ele dá casaco, dá comida, faz campanha no Natal para doar brinquedos, mas a ação é assistemática e pouco planejada.

Um segundo modelo, que é muito frequente nas organizações empresariais, pode ser chamado de multiprojetos. Ele ocorre quando a organização começa a trabalhar com a escola e percebe que o problema da escola envolve as famílias das crianças, e então começa a trabalhar com as famílias, e aí percebe que não adianta trabalhar com as famílias se não trabalhar geração de renda, então começa a trabalhar geração de renda, aí percebe que vai ter de fazer parceria e faz parceria com o governo. O resultado dessas ações é um trabalho social multiprojeto em que não há um aparente alinhamento entre os projetos sociais e o negócio da empresa. Isso não se sustenta durante muito tempo. Alguém no conselho vai perguntar: por que a gente faz todas essas coisas? Qual o resultado de nosso trabalho?

Quando a questão é bem-feita e bem-formulada, a organização entra na busca por foco. O que caracteriza a busca de foco é que a organização passa a gastar mais energia para dentro do que para fora. Mesmo as organizações que encontram seu foco, têm missão, visão, estratégia bem-definidas, depois que atuam por algum tempo vão ampliando o leque de ações e periodicamente têm de voltar para o foco.

Uma vez encontrados foco, missão e visão, é possível então definir estratégias de ação, indicadores e avaliação. Finalmente, a passagem das estratégias para o terreno das tecnologias sociais e políticas públicas é a questão da escala: como é que eu faço isso grande? Como é que eu lido com problemas complexos? E aqui, a única saída, na verdade, são as alianças intersetoriais.

FINANCIAR O TERCEIRO SETOR

De onde vem o dinheiro que criou o terceiro setor? É importante esta discussão sobre o financiamento das organizações da sociedade civil como um desafio para o investimento social, para que ele contribua para uma sociedade sustentável.

Na década de 1990, houve uma ajuda internacional muito importante para desenvolver o terceiro setor no Brasil. O Gife, por exemplo, foi engendrado em reuniões dentro da Câmara Americana de Comércio, recebeu contribuições muito expressivas de recursos da Fundação Kellogg, e tem recebido dinheiro importante da Fundação Avina e da Fundação Ford para o seu desenvolvimento. Atualmente, Ford, Kellogg, Avina, Mott Foundation e Open Society são as cinco fundações que financiam a infraestrutura da sociedade civil no mundo. Porém, a ajuda internacional está mudando de perfil. A estratégia para o Brasil e América Latina aproxima-se a uma nova abordagem de trazer conhecimento, metodologia e instrumentos, mas o financiamento disso é local, não é mais internacional. E algumas das grandes fundações estão mudando seu foco de atuação para a África e a Ásia.

Outra área que tradicionalmente investe na sociedade civil é o próprio governo, seja ao enxugar o Estado terceirizando serviços que passam a ser desenvolvidos pela sociedade civil, seja por meio da captação de recursos para programas em parceria.

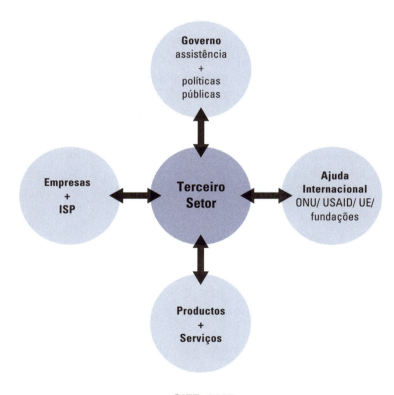

GIFE, 2007.

Os dados do fluxo de dinheiro e de recursos para o terceiro setor são absolutamente frágeis, quando não, inexistentes. Mas sabemos que o número de fundações e organizações sem fins lucrativos triplicou no Brasil nos últimos 15 anos. Em 2007, eram 275 mil fundações e organizações sem fins lucrativos País. Consequentemente, a competição por recursos é muito maior.

O terceiro setor está virando um mercado em que as pessoas competem pelo dinheiro. Isso é bom porque você é forçado a se tornar mais profissional. Também vemos o nascimento e a sobrevivência de organizações fortes, mas as organizações sociais locais – que chamamos em inglês de *grassroots organizations*, as pequenas organizações que trabalham com bairros ou comunidades – têm uma dificuldade enorme de captação. E todos que atuam no setor social sabem da importância dessas *grassroots organizations*. Enfrentamos agora o grande desafio de identificar como apoiar a sustentabilidade da base da sociedade civil, que tem capilaridade, atende às necessidades locais e pressiona por políticas públicas mais consistentes. Este é um desafio para o investimento social privado se pensar como um agente que fortalece não só o Estado, mas também a base da sociedade civil, contribuindo para que a sociedade seja sustentável.

INVESTIMENTO SOCIAL NA AMÉRICA LATINA:
OLHANDO PARA O FUTURO

OPORTUNIDADES E DESAFIOS[8]

O investimento social privado na América Latina está em plena fase de crescimento e fortalecimento: cresce a quantidade de recursos, tanto financeiros quanto humanos, disponíveis para o investimento social privado; há maior conscientização, tanto por parte da empresa quanto por parte da sociedade civil, sobre a importância do investimento social privado; e há maior reconhecimento público da contribuição do investimento social privado para a sociedade. Em quase todos os países do continente há alguma instituição que profissionalmente promove o investimento social feito por empresas. Assim sendo, construiu-se nos últimos dez anos um patrimônio significativo de organizações dedicadas ao investimento social privado, tais como Gife e Idis no Brasil, GDFE na Argentina e Cemefi no México.

Além disso, os últimos dez anos de prática e desenvolvimento do investimento social privado na região vêm contribuindo para o conhecimento acumulado e à formação de redes de aprendizagem e de intercâmbio. Por exemplo, a Rede América, o Fórum Empresa e a Rede Interamericana de Pesquisa da Responsabilidade Social. Finalmente, vale também registrar o grande interesse e profissionalismo dos meios de comunicação em temas de investimento social privado.

---

8. Em 23 de setembro de 2007, a oficina Análise do Investimento Social na América Latina, liderada pelo Idis e facilitada por Fernando Rossetti, secretário-geral do Gife, reuniu um grupo de 54 lideranças do setor para debater o contexto do investimento social privado na América Latina. Os participantes selecionados representam uma ampla variedade de organizações que vão desde institutos e fundações privadas, a universidades e associações. O debate ocorreu em torno de quatro eixos: forças, oportunidades, fraquezas e ameaças e levantou insumos valiosos para pensar o futuro do investimento social privado na região.

Neste contexto de crescimento e vigor, é possível identificar muitas oportunidades para desenvolver e fortalecer ainda mais o investimento social privado na região. Eis as mais destacadas:

OPORTUNIDADES

Mobilização de pessoas e de recursos: a atual (e crescente) conscientização da sociedade sobre questões sociais e de equidade apresenta um excelente momento para a mobilização de mais pessoas e recursos para o investimento social privado, não apenas no que se refere ao investimento social corporativo, mas também à possibilidade de aumentar o interesse de famílias, indivíduos e comunidades em investimento social privado, abrindo assim oportunidades de expansão do investimento social/familiar e do investimento social/comunitário.

Inovação em investimento social/privado: Se, por um lado, a sociedade, conscientizada das questões sociais, demonstra maiores expectativas quanto à eficácia e aos resultados do investimento social; por outro ela está mais aberta a novas formas de atuação. Surge então a oportunidade de desenvolver novas formas de investimento social, experimentando com os modelos híbridos que mesclam abordagens do setor social e práticas do setor privado, tais como o empreendedorismo social e a filantropia de risco.

Globalização da economia: A globalização da economia da América Latina vem contribuindo para o rápido crescimento do investimento social corporativo na região, levando as empresas transnacionais e também as empresas locais a cada vez mais atuarem em investimento social privado. E mais, a crescente influência do movimento de responsabilidade social empresarial contribui para um maior entendimento do pensamento sistêmico e da inter-relação entre os fatores econômico, social e ambiental para o desenvolvimento sustentável.

Produção de conhecimento: Finalmente, vale destacar a oportunidade de desenvolver a área de produção de conhecimento, pesquisa, e profissionalização das pessoas que trabalham no setor social. Com o desenrolar de novas experiências e aprendizados, cresce a necessidade de sistematizar e disseminar este conhecimento.

Ainda que muitos sucessos e resultados tenham sido alcançados nestes últimos 15 anos de investimento social privado na América Latina, há também uma série de fraquezas que exigem consideração e ação. Permanece no setor a tendência do corporativismo institucional, ou seja, seguir os interesses específicos da instituição de investimento social privado em vez de apoiar as prioridades de desenvolvimento social da comunidade. É quando a agenda do investimento privado é colocada acima do social, e os objetivos e as diretrizes de instituições privadas com braço social estão mais alinhados aos interesses da empresa do que às questões e às prioridades sociais dos países latino-americanos. Não há entendimento do quanto é possível e favorável a atuação em rede e alianças, em causas comuns alinhadas às prioridades nacionais.

Outro aspecto ainda débil do investimento social privado na região e que precisa ser fortalecido refere-se à questão da escalabilidade. São muitos os projetos do terceiro setor que têm qualidade, mas não conseguem impactar em escala. Este desafio de qualidade, quantidade e baixo custo é o desafio frequente do investimento social privado na América Latina. Por exemplo, no caso do Brasil, o setor público, seja de saúde ou de educação, consegue atender à demanda da quantidade: atualmente, 97% das crianças brasileiras estão na escola. Contudo, a qualidade é muito baixa. Quando o terceiro setor desenvolve ações exitosas e com resultados efetivos, a qualidade aumenta, mas a quantidade cai. Então o desafio da escalabilidade é a atuação com quantidade, qualidade e baixo custo. Para se obter escalabilidade é preciso ter avaliação com resultados mensuráveis e indicadores claros, comparáveis a indicadores e resultados nacionais. É preciso também fortalecer os espaços de cooperação e conciliação, para que se tornem mais eficientes em vez de ser apenas um espaço onde boas intenções são discutidas, mas nunca são concretizadas em ações.

Há também debilidade no que se refere à formação e à qualificação de lideranças. A atual qualificação das lideranças de terceiro setor não atende à grande heterogeneidade existente entre a ampla e variada gama de organizações do setor. Isso resulta em uma grande dificuldade e morosidade na interlocução entre vários atores, pois existem distintos graus de entendimento e de formação. Ademais, há uma crescente necessidade de entender esta nova área de conhecimento proposta pelo investimento social privado, que engloba questões sociais, financeiras e administrativas e que demanda uma nova lógica e novas práticas.

Outro aspecto que necessita ser trabalhado se refere à governança do investimento social privado. Como muitas empresas são familiares, muitos institutos e fundações corporativas têm conselhos mistos, os quais são compostos por representantes da família e por representantes da empresa. Esse fato muitas vezes causa situações de impasse e de falta de liderança. É preciso fortalecer o modelo de governança, para que contemple não apenas os interesses do conselho, mas também contemple os beneficiários do investimento social.

Finalmente, é preciso pensar o investimento social privado com sustentabilidade. É preocupante a descontinuidade de projetos e programas sociais, e a *amnésia sistêmica* de certas organizações que frequentemente trocam toda sua equipe e começam do zero, sem dar continuidade às iniciativas anteriores. Há também uma grande defasagem entre o ritmo das decisões de investimento social empresarial e o ritmo das organizações sociais, ou seja, as executoras do investimento social.

Além de conhecer as fraquezas e debilidades do setor que precisam ser atendidas e fortalecidas é importante também entender quais são os desafios do contexto externo, contexto ao qual o investimento social privado deve estar preparado para se proteger.

DESAFIOS

Fortalecimento do setor público e legal: Um desafio ainda presente na América Latina trata da instabilidade política dos governos, a ineficiência da administração pública e fraquezas no marco regulatório. Os governos populistas representam também um desafio, pois muitas vezes lhes é conveniente perpetuar a pobreza e os baixos níveis de educação.

Sensibilização: A falta de cultura e de conhecimento do investimento social por parte de algumas empresas privadas também pode ser considerada um desafio para o setor. Há empresas privadas que ainda mantêm uma abordagem assistencialista e que trabalham de forma reativa, quando, na realidade, é necessário gerar ações proativas. Outro desafio é promover a participação e qualificação de lideranças empresariais em questões de investimento social privado.

Transparência no terceiro setor: O terceiro setor representa uma ampla gama de organizações e, muitas vezes, é visto pela sociedade como ponto de corrupção. Em alguns países da região há muita resistência e desconfiança quanto ao terceiro setor e às organizações sociais. Assim sendo, é fundamental desenvolver mecanismos de transparência, de accountability e de classificação das organizações sociais para fortalecer a credibilidade do setor.

O quadro a seguir apresenta resumidamente os pontos fortes e fracos, assim como as oportunidades e os desafios do investimento social privado na América Latina.

PONTOS FORTES	PONTOS FRACOS
• Disponibilidade de recursos humanos e financeiros • Conscientização da sociedade • Reconhecimento público • Conhecimento acumulado • Organizações profissionais dedicadas ao ISP (Idis, Cemefi, GDFE, GIFE) • Redes de aprendizagem e intercâmbio (Rede América, Fórum Empresa) • Interesse da mídia	• Corporativismo institucional • Falta de cultura de cooperação • Escalabilidade • Avaliação • Sustentabilidade • Lideranças qualificadas • Governança
OPORTUNIDADES	**DESAFIOS**

• Mobilização de mais pessoas e recursos
• Inovação:
  • Empreendedorismo social
  • Filantropia de risco
  • Fundações comunitárias
  • Fundações familiares
• Globalização da economia: maior acesso a empresas globais
• Produção de conhecimento
• Educação, capacitação e qualificação de recursos humanos
• Tecnologias de informação
	• Fortalecimento do setor público
	• Marco regulatório
	• Estabilidade política
	• Governos populistas
	• Sensibilização
	• Transparência no terceiro setor

A EMPRESA E A FAMÍLIA COMO INVESTIDORES SOCIAIS: CARACTERÍSTICAS, DESAFIOS E SEU RELACIONAMENTO COM A SOCIEDADE CIVIL E COM O SETOR PÚBLICO

Independentemente de quem seja o investidor social privado, seja empresa, família ou comunidade, o propósito final é comum a todos: disponibilizar recursos (humanos, financeiros, materiais, técnicos, etc.) para o bem público, com a intenção de gerar impacto social positivo. Em contrapartida, como investidor social, cada um destes atores tem valores e lógica específicos. Enquanto o investimento social corporativo tende a ser a expressão do ethos da empresa, o investimento social familiar pode ser usado para ensinar à próxima geração o valor do dinheiro. Enquanto o investimento social familiar tem flexibilidade para escolher seu foco, o investimento social empresarial procura estar alinhado ao negócio e à estratégia da empresa. Enquanto as famílias tendem a se preocupar com atuação de longo prazo, com a perpetuidade, os executivos das empresas tendem a apresentar uma visão mais imediata, de curto prazo, para o investimento social.

INVESTIMENTO SOCIAL EMPRESARIAL

A empresa tem por principal finalidade produzir bens e serviços, gerar empregos e distribuir dividendos a sócios e acionistas. Mas, além de ser uma entidade econômica, a empresa se apresenta na sociedade também como uma entidade ética e social, uma vez que se utiliza de recursos e ocupa espaços que são bens de toda a sociedade.

Nas últimas décadas, temos acompanhado o maior envolvimento das empresas com as questões sociais das comunidades locais onde se encontram. Está cada vez mais difícil isolar o olhar sobre o negócio da empresa sem considerar seu impacto socioambiental, pois a sociedade cobra de maneira crescente a atuação socialmente responsável e sustentável da empresa. Sua participação voluntária na comunidade, se bem planejada, monitorada e avaliada, pode contribuir para provocar transformações sociais relevantes, gerando benefícios para a comunidade e para a própria empresa.

Quando uma empresa decide ter seu braço social, é essencial definir o foco de seu investimento social. Essa definição, no entanto, tende a ser um processo provocador, pois o programa de investimento social está vinculado a um público-alvo, que geralmente é o público onde a empresa atua, mas que não é necessariamente o público-alvo dos negócios da empresa.

Geralmente ocorre uma relação dinâmica entre as duas partes, em que o crescimento do braço social da empresa acompanha o crescimento do negócio. Assim, as fundações e institutos empresariais mudam e evoluem conforme o dinamismo das ações da empresa. De qualquer maneira, como a finalidade das fundações e institutos empresariais é pública, ambas as instituições têm o poder de provocar e influenciar a empresa a reconhecer também sua finalidade na sociedade. Para promover este relacionamento entre a empresa e seu braço social é fundamental integrar, via voluntariado corporativo, os funcionários da empresa com sua atuação social. Assim, empresa e fundação se complementam.

Vale ressaltar importante diferença para o investimento social entre empresas de controle familiar e empresas de capital aberto. No caso das empresas de controle familiar, a convicção e o envolvimento dos acionistas facilitam a gestão integrada e o processo de mudança pode ser acelerado em comparação com as empresas de capital aberto.

Em suma, o relacionamento dinâmico e próximo entre a empresa e seu braço social é fundamental. Para tanto é necessário engajar os colaboradores no braço social da empresa, superar a competição interna e a sobreposição de ações entre as duas, definir claramente os papéis da empresa e da fundação/instituto.

INVESTIMENTO SOCIAL FAMILIAR

As fundações de origem familiar têm bastante liberdade para escolher o foco de sua atuação. Porém, o desafio para a fundação familiar está em escolher um foco que expresse os valores da família e represente os interesses de atuação dos familiares. Outro grande desafio é garantir o envolvimento das gerações futuras no investimento social.

A questão da governança é muito importante, principalmente no que se refere à transparência e à definição de papéis e responsabilidades. Geralmente há um conselho deliberativo formado por membros da família e superintendência executiva para implementar as decisões. A presença de membros da família no conselho da fundação pode criar tensões, por isso cada um deve ter muito claro o seu papel. Enquanto cabe ao conselho estabelecer diretrizes e tomar algumas decisões estratégicas, não lhe cabe a função de lidar com os detalhes da operação. Portanto, é preciso que os familiares entendam que precisam se manter distantes da operação da fundação.

Tradicionalmente, as fundações familiares realizam seu trabalho de maneira isolada e independente, a partir de sua própria prática. Porém, atualmente cresce a tendência de abertura e colaboração, realizando o trabalho em parcerias ou alianças, trocando experiências e apoiando projetos de outras organizações.

Finalmente, ao contemplar o investimento social empresarial e familiar, cabe explorar também as possibilidades de articulação e colaboração entre os dois. É possível conciliar os interesses da família, a qual é também acionista, com os interesses da empresa? Os valores da família e da empresa são complementares, podem se relacionar? Qual o papel da família empresária?

O acionista controlador pode contribuir para enriquecer o relacionamento fundação- empresa, representando tanto os interesses da família quanto da empresa, e também trazendo uma visão de longo prazo e perenidade que nem sempre os executivos têm. Ele também pode apoiar a fundação em seu papel de provocar, a partir dos valores da família, novos temas na empresa.

Conciliar a visão social da fundação com a visão empresarial da corporação não é uma tarefa fácil. Quanto mais claro for o foco que une empresa e fundação, mais sustentável será a relação entre as duas partes.

Finalmente, um tema crucial que perpassa tanto o mundo das fundações como o mundo das empresas familiares é o tema da sucessão de liderança. Ambas as organizações devem estar atentas a esse fato e realizar continuamente atividades de apoio à formação de lideranças, trabalhando com várias gerações da família.

RELAÇÃO DO INVESTIDOR SOCIAL COM O SETOR PÚBLICO: COLABORAÇÃO OU SUBSTITUIÇÃO?

O investimento social privado pode – e deve – contribuir para influenciar políticas públicas. Mesmo com a diversidade encontrada na América Latina e o avanço de políticas populistas, há muito espaço para a atuação em parceria com os governos na região. Como o fim do investimento privado é o bem público, é inevitável a relação com o governo.

Políticas públicas compreendem as decisões de governo em diversas áreas que influenciam a vida de um conjunto de cidadãos. São os atos que o governo faz ou deixa de fazer e os efeitos que tais ações ou a ausência dessas provocam na sociedade. O investidor social pode contribuir para que as políticas já existentes cheguem efetivamente aos mais necessitados. Por exemplo: ou promover a adoção de modelos de gestão do público, ou influenciar a priorização de recursos para determinadas áreas ou programas.

A consciência de corresponsabilidade pelo desenvolvimento tem levado a um número crescente de políticas públicas baseadas em experiências bem-sucedidas de organizações sociais, empresas, institutos e fundações privadas. Quando um projeto se transforma em política pública, ganha maior abrangência e, além de beneficiar mais pessoas, ajuda a disseminar ações de sucesso.

Nessa aliança entre o setor público e o investidor social privado há três temas que costumam apresentar menos dificuldade para o trabalho em conjunto: educação, tema frequente em todos os países da região, geração de renda e desenvolvimento comunitário.

Trabalhar com governos locais é muito relevante, já que dessa forma tanto governo como investidor privado têm maior possibilidade de avaliar o impacto das ações sociais. A parceria com o governo local abrange aspectos fundamentais – vontade política, compromisso ético, competência técnica e confiança. E cabe ao investidor social adaptar-se à máquina burocrática e à hierarquia rígida do governo, sem ceder aos apelos do assistencialismo, infelizmente ainda comum em muitos programas governamentais.

Ainda que seja importante e desejável influir em políticas públicas, cabe ressaltar que não é a única forma de trabalhar o investimento social privado; nem sempre se deve fazê-lo em todas as oportunidades. Depende muito do momento, das capacidades do investidor e da conveniência.

Finalmente, o investimento social privado tem um importante papel em apoiar e promover a participação da própria comunidade; assim, mais do que influir diretamente nas políticas públicas, o que o investidor privado deve fazer com seus programas é gerar capacidades nas comunidades para que elas influam nas políticas públicas.

RELAÇÃO DO INVESTIDOR SOCIAL COM A SOCIEDADE CIVIL: DOAÇÃO OU PARCERIA?

É desejável que a relação entre organizações sociais e as organizações seja mais horizontal: que não se veja o investidor social somente como um doador, um provedor de recursos, mas realmente como um parceiro ou sócio. Em compensação, é importante reconhecer a capacidade, autonomia e o conhecimento das organizações sociais.

Há muitas formas de tornar as organizações corresponsáveis durante os projetos. O financiamento de projetos pode, por exemplo, aplicar critérios de desempenho, efetividade e resultados. Outra abordagem é trabalhar com um cofinanciamento, onde as organizações sociais aportam seus ativos, não necessariamente recursos econômicos, mas tempo, voluntários, instalações, etc.

Não é possível conseguir um bom resultado se não houver uma relação entre o governo, as empresas e a sociedade civil. Por isso, a comunicação entre os setores, identificando os projetos que cada um está fazendo é essencial para a sustentabilidade dos processos de desenvolvimento. É muito importante ter uma política de comunicação dentro e entre as organizações para que os objetivos sejam conhecidos. Assim, aumenta-se a transparência e funciona como um mecanismo para identificar sinergias e evitar a desconfiança.

O conceito de sustentabilidade engloba vários aspectos. Não é apenas entendido como um projeto que se renova, mas também como a geração de conhecimento. Inclui também a sustentabilidade na gestão das organizações, para que elas sejam capazes de criar outros projetos. Desenvolvimento é um processo de cooperação, e fortalecer o processo institucional nas entidades dentro das organizações é fundamental.

É fundamental que o investidor social respeite o saber e entenda as necessidades da comunidade. Para isso, é importante que as fundações empresariais conheçam a comunidade e desenvolvam uma relação de confiança. A primeira aproximação do investidor social com a comunidade é a mais importante. É preciso identificar os ativos da comunidade, os conhecimentos e as necessidades. Muitas vezes, essa aproximação pode ser feita via lideranças comunitárias ou via outras organizações que já atuam na mesma comunidade, mesmo que não trabalhem com os mesmos temas. Nesse cenário, métodos participativos tendem a gerar resultados positivos.

Para ser participativo é preciso que o processo seja plural, que envolva grupos diversos, com pensamentos diversos. Na seleção de projetos, por exemplo, é essencial que o processo de convocatória seja transparente e plural. Muitas vezes o processo de seleção de beneficiários deixa de fora organizações pequenas e criativas que trabalham muito de perto com a comunidade pelo simples fato de que o processo de convocação é muito complexo. Por exemplo, uma convocação não pode ser apenas via meios eletrônicos, mas é necessário usar também outras formas de comunicação – pôsteres ou a divulgação boca a boca pelas lideranças comunitárias. Isso é importante para que não eliminemos já no processo convocatório organizações pequenas que trabalham próximas à comunidade e que possuem conhecimentos valiosos.

O investidor social tem de ser suficientemente focado e suficientemente flexível para que possa atuar nas causas dos problemas e não apenas em seus efeitos. Há de se pensar sempre de uma maneira mais sistêmica, sem perder o foco. As causas dos problemas, por outro lado, são variáveis, e, por isso, o investidor social também dever ser flexível nos processos de seleção de beneficiários. Ele tem de saber identificar as variáveis que causam os problemas.

O investidor social busca apoiar projetos inovadores. Porém, sempre há mais riscos quando se aposta em projetos inovadores. Mas pelo fato de serem inovadores, podem trazer um retorno maior. Assim, é importante que o investimento social tenha tolerância também para o fracasso, pois muito se aprende com ele. Enfim, o investidor social tem que estar consciente de que o fracasso pode ser a chave para um futuro sucesso.

CONCLUSÃO

O investimento social privado é um meio eficiente para promover o desenvolvimento social, redistribuir riquezas privadas e criar formas de trabalho que impulsionem o equilíbrio e o desenvolvimento harmônico da sociedade.

Na América Latina, ainda encontramos carências em amplos grupos sociais: a pobreza, a marginalização e a desigualdade persistem e crescem. A solução de tais problemas compete a toda a sociedade. Nas últimas décadas são cada vez mais numerosos os grupos de cidadãos que adquiriram consciência de sua responsabilidade social e se organizam em associações voluntárias para participar na busca de alternativas e em projetos desenhados para o bem-estar comunitário. Igualmente, cada vez há mais empresas que incrementam sua participação no desenvolvimento social contribuindo com talento e recursos empresariais, sob o conceito de investimento social privado.

A filantropia aparece em todas as grandes religiões e civilizações do mundo: cristianismo, islamismo, budismo; na Ásia, África e América Latina. Existiram filantropos entre capitalistas e socialistas, assim como entre missionários de distintos credos. A filantropia também está presente em atos dos governos e durante muitos anos tem-se debatido sobre o que as pessoas devem fazer por si mesmas, quanto deve ser feito por atos voluntários e quanto o Estado deve fazer.

Os princípios fundamentais da nova filantropia ou investimento social privado, discutidos neste fórum, mostram que não se deve atuar de forma emotiva e impulsiva, mas, sim, com base na evidência, na análise cuidadosa e no planejamento. Deu-se maior importância à educação e à investigação e à ideia do uso eficiente dos recursos. É sempre preferível prevenir problemas sociais do que remediá-los.

Há vários desafios para o investimento social privado na América Latina, como pudemos analisar. De acordo com o *Informe da Riqueza Mundial 2007*, estudo sobre os investidores mais ricos do mundo realizado por Capgemini e Merrill Lynch, os mais ricos da região destinam somente 3% de seus ativos financeiros às doações filantrópicas. Comparativamente, os magnatas asiáticos doam 12% do seu dinheiro, os do Oriente Médio, 8%; os norte-americanos, 8%; e os europeus, 5%.

Nosso continente é muito rico também em criatividade e inovação. O investimento social precisa ser alimentado por essa energia que reconhecemos em cada um dos países da América Latina. Durante os dias do fórum, pudemos refletir sobre o mundo do investimento social, que era a meta primordial da reunião. De certa forma, cada participante é um protagonista da história que se resgatou aqui e protagonista do futuro, da história que vamos escrever depois e a partir deste encontro. Sabemos que não pudemos trazer à tona todos os temas que nos preocupam, no campo do investimento social e também estamos certos de que nem todas as questões foram respondidas. Mas o que se viveu aqui pode marcar a pauta para ações futuras.

Sabemos de onde viemos e temos uma direção do futuro, mas não sabemos ainda o que vamos encontrar depois porque existem variáveis, riscos que não estão sob nosso controle. Como disse Guimarães Rosa, *"Vivendo, se aprende; mas o que se aprende, mais, é só a fazer outras maiores perguntas."* Assim, saímos daqui com mais inquietações e perguntas a responder. Para dar continuidade, temos que exercer uma capacidade estratégica, interpretando a realidade para encontrar oportunidades para fortalecer-nos, evitar os perigos e transformar as debilidades em fortalezas.

ANEXOS

ANEXO A: LISTA DE PARTICIPANTES

Alejandro Martinez, Fundación Merced
Alicia Pimentel, Fundación Empresas Polar
Ana Beatriz B. Patrício, Fundação Itaú Social
Ana Maria Drummond, Instituto WCF-Brasil
Ana Petrini, Fundación Minetti
Ana Valéria Nascimento Araújo Leitão, Fundo Brasil de Direitos Humanos
Beatriz Johanpeter, Instituto Gerdau
Carla Duprat, Grupo Camargo Corrêa
Carlos March, Fundación Avina
Carolina Langan, Grupo de Fundaciones y Empresas
Célia Schlithler, IDIS
Celso Varga, IDIS
Ceres Loise Bertelli Gabardo, Fundação O Boticário de Proteção à Natureza
Claiton Melo, Fundação Banco do Brasil
Claudio Giomi, Fundación Arcor
Consuelo Yoshida, IDIS
Corina Ferrer Minetti de Lozada, Fundación Minetti
Cristina Galindez Hernandez, The William and Flora Hewlett Foundation – Mexico
Dario Guarita Neto, FMCSV
Eduardo Valente, Instituto Vivo
Elizabeth Kfuri Simão, Grupo Coimex
Enrique Morad, Fundación Loma Negra
Fernando Nogueira, GIFE
Fernando Rossetti, GIFE
Flavio Martín Flores Acevedo, Asociación Los Andes de Cajamarca
Graciela Pantin, Fundación Empresas Polar
Guillermo Carvajalino, Fundación Empresarios por la Educación

Anexos | 77

Gustavo Lara Alcántara, Fundación BBVA Bancomer
Helena Monteiro, IDIS
Jorge V. Villalobos Grzybowicz, CEMEFI
José Eduardo Sabo Paes, Promotoria de Justiça e Fundações
e Entidades de Interesse Social

Juan Andrés García, Associacíon Española de Fundaciones
Juliana Gazzotti Schneider, IDIS
Manuel José Carvajal, Fundación Carvajal
Márcia Woods, IDIS
Marcos Kisil, IDIS
Margareth Dicker Goldenberg, Instituto Ayrton Senna
Michael Liffman, Asia-Pacific Centre for Philanthropy and Social Investment
Swinburne University
Miguel Gaitán, Fundación Pantaleon
Olavo Gruber Neto, Fundação Orsa
Olívia Tanahara, Fundação Orsa
Regina Vidigal Guarita, FMCSV
Rob Buchanan, Council on Foundation
Roberto Pizzarro, Fundación Carvajal
Rodrigo Villar Gómez, Fundación DIS
Rosangela Bacima, Instituto Pão de Açúcar
Russell Prior, CAF
Scot Marken, Donors Forum of South Florida
Sérgio Amoroso, Fundação Orsa
Sérgio Mindlin, Fundação Telefônica
Sílvia Bertoncini, IDIS
Silvia Morais, Instituto Hedging-Griffo
Susan Saxon-Harrold, CAF America
Wilberto Luiz Lima Junior, Klabin

ANEXO B:
MINIBIOGRAFIA DOS PALESTRANTES CONVIDADOS E AUTORES PALESTRANTES

Carolina Langan é formada em sociologia pela Universidad de Buenos Aires com mestrado em administração e políticas públicas na Universidad de San Andrés. Foi coordenadora-geral e diretora-executiva da associação civil Puentes, em 1998. Atualmente é coordenadora-geral do Grupo de Fundaciones y Empresas (GDFE). Autora da publicação *Estudos de investimento social: uma aproximação ao estudo das fundações doadoras na Argentin*a e coautora do *Guia do investimento social*. Especialista no desenho e avaliação de programas e projetos sociais e temas vinculados ao investimento social privado.

Fernando Rossetti é secretário-geral do Grupo de Institutos, Fundações e Empresas (Gife) e *chairman* da Worldwide Initiatives for Grantmakers Support (Wings). Formado em Ciências Sociais pela Unicamp, atuou na *Folha de S.Paulo* de 1990 a 1999, como repórter de Educação e correspondente na África do Sul (1994-95). Tem especialização em Direitos Humanos pela Universidade Columbia (EUA, 1997). Fundou, com Gilberto Dimenstein, a ONG Cidade Escola Aprendiz, que dirigiu de 1999 a 2002. Atuou como consultor para diversas organizações nacionais e internacionais do terceiro setor, mais especificamente o Unicef, para quem escreveu o livro *Mídia e Escola – Perspectivas para Políticas Públicas*. É comentarista do Canal Futura desde 1997, membro-integrante da Synergos Senior Fellow e líder/parceiro da Avina.

Jorge Villalobos Grzybowicz é presidente do Centro Mexicano para a Filantropia (Cemefi), fundado em 1988 com a missão de promover a cultura da filantropia e a responsabilidade social. Possui uma ampla trajetória em projetos de desenvolvimento e promoção social desde organizações da sociedade civil. Foi coordenador da faculdade de comunicação da Universidade Ibero-americana. Desde 1990 colabora com o Centro Mexicano para a Filantropia. Faz parte do conselho cidadão de desenvolvimento social da Secretaria de Desenvolvimento e do Conselho Técnico Consultivo de Desenvolvimento Social no âmbito nacional, além de vários conselhos de outras fundações e associações.

Juan Andrés García é graduado em geografia e história pela Universidad Complutense de Madrid. Foi diretor do Centro de Fundaciones e da Asociación Española de Fundaciones. Participou na organização e difusão dos Encontros Ibero-americanos do Terceiro Setor e é membro do conselho de representação da AEF. É patrono de duas fundações espanholas com fins sociais. Colaborou com diversos livros e publicações – *Directórios de Fundaciones Españolas* e *La Responsabilidad Global de la Riqueza.*

Marcos Kisil é diretor-presidente do IDIS e professor titular da Universidade de São Paulo, Faculdade de Saúde Pública. Anteriormente a esta posição, foi diretor regional para a América Latina e Caribe da Fundação W.K. Kellogg, onde dirigiu o desenvolvimento programático e estratégico da atuação da fundação na América Latina. Marcos Kisil é médico formado pela Faculdade de Medicina da Universidade de São Paulo. Posteriormente, dedicou-se ao campo da administração de saúde, tendo se doutorado em administração pela George Washington University, Washington, DC, EUA, como bolsista da Fundação W. K. Kellogg. Atuou como consultor da Organização Pan-Americana de Saúde. É membro dos conselhos administrativos da Escola de Administração de Empresas de São Paulo da Fundação Getúlio Vargas e da Associação Brasileira de Desenvolvimento de Lideranças. Kisil foi também presidente do conselho do Gife, diretor-presidente do instituto WCF-Brasil e membro do conselho administrativo da Fundação Banco do Brasil e do WWF Brasil.

Michael Liffman é diretor e fundador do Asia-Pacific Centre for Philanthropy and Social Investment at Swinburne University, Melbourne, Austrália. O centro oferece educação profissional e acadêmica em investimento social, além de fazer pesquisas e consultoria na Austrália e outros países. Michael tem experiência em política pública social, serviço comunitário e investimento social. Foi presidente de uma das fundações lideres da Austrália, a Fundação Myers, e presidente da Australian Association of Philanthropy. É membro da International Network on Strategic Philanthropy. Suas publicações incluem *A Tradition of Giving: Seventy-five Years of Myer Family Philanthropy*, (Melbourne University Publishing, 2004). É mestre em administração social pela London School of Economics e PhD.

Rob Buchanan é diretor de programas internacionais do Council on Foundations em Washington, EUA. O Council on Foundations é uma associação de interesse público por meio da promoção do investimento social nos Estados Unidos e no mundo. Rob atuou dez anos na Oxfam America e também na EarthAction. Serviu como assessor do senado americano nos casos representativos sobre políticas internacionais. Rob é graduado pela The Johns Hopkins University e tem mestrado em relações internacionais pela The Johns Hopkins School of Advanced International Studies. Ele é coautor do livro *Making a Difference in Africa: Advice from Experienced Grantmakers*, publicado em 2004. Rob é atualmente membro do conselho do Asia Pacific Philanthropy Consortium.

Russell Prior é diretor-executivo, desde 2005, dos programas corporativos para a Rede CAF internacional, sendo responsável pelo Company Giving, que inclui o Give As You Earn, CAF Company Account e Company Trusts, e as operações internacionais da CAF. Russell atuou por duas décadas no banco Barclays, onde adquiriu conhecimento e experiência no setor, tanto no Reino Unido quanto internacionalmente.

Scott Marken é presidente e CEO do Donors Forum of South Florida desde 2004. Donors Forum of South Florida é uma associação de fundações, empresas, pessoas e fundos de governo ativos em Miami, Ft. Lauderdale,

Palm Beach e Florida Keys. Os membros do Donors Forum contribuíram com mais de US$600 milhões por ano em uma das regiões mais multicultural dos Estados Unidos. Anteriormente, Marken foi CEO de uma consultoria internacional em investimento social atuando junto a clientes como Ericsson, Burger King e Rotary International.

AUTORES

Helena Monteiro é diretora de conhecimento e educação do IDIS. Anteriormente a esta posição, Helena acumulou mais de 15 anos de experiência no setor social no Canadá e nos EUA, dedicando-se a projetos de educação, saúde e desenvolvimento social. Também atuou em cooperação internacional, coordenando projetos de educação e saúde da Organização Pan-Americana da Saúde (Opas), Organização dos Estados Americanos (OEA) e Associação Canadense de Saúde Pública. Helena é pedagoga licenciada pela Pontifícia Universidade Católica de São Paulo (PUC), mestre em assistência social pela Universidade de Toronto, Canadá, e *Senior Fellow* do Centro de Filantropia e Sociedade Civil, da City University of New York (CUNY), EUA.

Márcia Kalvon Woods é diretora de Desenvolvimento Institucional do IDIS desde 2007, e atua na organização desde 2002. Com ampla experiência em mobilização de recursos e marketing para organizações do terceiro setor, sendo especialista em marketing relacionado a causas. Anteriormente trabalhou na Cruz Vermelha da Austrália e no setor privado para a IMB e 3M do Brasil. É formada em Comunicação Social pela Escola Superior de Propaganda e Marketing (ESPM), com cursos de extensão na Universidade São Paulo – USP/IDIS, Fundação Getulio Vargas e Universidade da Califórnia. É autora da publicação *Guia Prático de Marketing Relacionado a Causas: Diretrizes e Casos*.

Anexos | 83

Marcos Kisil é diretor-presidente do IDIS e professor titular da Universidade de São Paulo, Faculdade de Saúde Pública. Anteriormente a esta posição, foi diretor regional para a América Latina e Caribe da Fundação W.K. Kellogg, onde dirigiu o desenvolvimento programático e estratégico da atuação da fundação na América Latina. Marcos Kisil é médico formado pela Faculdade de Medicina da Universidade de São Paulo. Posteriormente, dedicou-se ao campo da administração de saúde, tendo se doutorado em administração pela George Washington University, Washington, DC, EUA, como bolsista da Fundação W. K. Kellogg. Atuou como consultor da Organização Pan-Americana de Saúde. É membro dos conselhos administrativos da Escola de Administração de Empresas de São Paulo da Fundação Getúlio Vargas e da Associação Brasileira de Desenvolvimento de Lideranças. Kisil foi também presidente do conselho do Gife, diretor-presidente do instituto WCF-Brasil e membro do conselho administrativo da Fundação Banco do Brasil e do WWF Brasil.

TENDÊNCIAS DO INVESTIMENTO SOCIAL PRIVADO NA AMÉRICA LATINA

INSTITUTO PARA O DESENVOLVIMENTO DO INVESTIMENTO SOCIAL

Autores: Helena Monteiro, Márcia Kalvon Woods, Marcos Kisil
Coordenação: Márcia Kalvon Woods
Tradução: Joaquin Serrano

IMPRENSA OFICIAL DO ESTADO DE SÃO PAULO

Projeto Gráfico e Capa: Guen Yokoyama
Assistente Editorial: Berenice Abramo
Editoração: Marilena Villavoy
Gráficos: Robson Minghini

Patrocínio: CAF, Fundação Vale do Rio Doce, Fundação Banco do Brasil, Gerdau, Instituto Camargo Corrêa y Fundación Loma Negra

Copyright © 2011 by IDIS – Instituto para o Desenvolvimento do Investimento Social

Dados Internacionais de Catalogação na Publicação (CIP)
(Câmara Brasileira do Livro, SP, Brasil)

Tendências do investimento social privado na América Latina / organizadores Helena Monteiro, Marcos Kisil, Márcia Woods. -- 1. ed. -- São Paulo : IDIS-Instituto para o Desenvolvimento do Investimento Social : Imprensa Oficial do Estado de São Paulo, 2011.
88 p.

Vários autores

ISBN 978-85-60904-09-9 (IDIS)
ISBN 978-85-7060-991-5 (Imprensa Oficial)

1. Ação social - América Latina 2. Empresas - Aspectos sociais - América Latina 3. Participação social I. Monteiro, Helena. II. Kisil, Marcos. III. Woods, Márcia.

09-12708	CDD 361.760981

Índices para catálogo sistemático:

1. América Latina : Investimento social :
   Organizações privadas : Bem-estar social
   361.760981
2. América Latina : Organizações privadas :
   Investimento social : Bem-estar social
   361.760981

Nesta edição, respeitou-se o Novo Acordo Ortográfico da Língua Portuguesa

Direitos reservados e protegidos

Proibida a reprodução total ou parcial
sem a autorização prévia dos editores
(Lei nº 9.610, de 19.02.1998)

Foi feito o depósito legal na Biblioteca Nacional
(Lei nº 10.994, de 14.12.2004)

Impresso no Brasil 2011

Instituto para o Desenvolvimento do Investimento Social
Rua Paes Leme, 524, cj. 141
Pinheiros 05424 904
São Paulo SP Brasil
Tel.: 11 3037 8210
Fax: 11 3031 9052
www.idis.org.br

CAF – Charities Aid Foundation
25 Kings Hill Avenue
Kings Hill
West Malling
Kent ME19 4TA UK
T: +44 0 3000 123 000
F: +44 0 3000 123 001
enquiries@cafonline.org
www.cafonline.org

Imprensa Oficial do Estado de São Paulo
Rua da Mooca, 1.921 Mooca
03103 902 São Paulo SP Brasil
sac 0800 01234 01
sac@imprensaoficial.com.br
livros@imprensaoficial.com.br
www.imprensaoficial.com.br

formato	15,5 x 23 cm
tipologia	Chaparral Pro e ITC Franklin Gothic Std
papel	miolo Offset 90 g/m²
	capa Cartão Supremo Duo Design 300 g/m²
número de páginas	88
tiragem	2.000 exemplares
CTP, Impressão e Acabamento	Imprensa Oficial do Estado de São Paulo

imprensaoficial